Ratfisch, Werne

Zur Geschichte der medizinischen Verwendung des Eibisch (althaea officinalis L.)

Ratfisch, Werner

Zur Geschichte der medizinischen Verwendung des Eibisch (althaea officinalis L.)

Inktank publishing, 2018

www.inktank-publishing.com

ISBN/EAN: 9783750139107

All rights reserved

Aus dem
Institut für Geschichte der Medizin an der Universität Leipzig.
Direktor: Prof. Dr. W. v. Brunn.

Zur Geschichte der medizinischen Verwendung des Eibisch

(Althaea officinalis L.).

Inaugural=Dissertation

zur

Erlangung der Doktorwürde in der Zahnheilkunde

einer Hohen Medizinischen Fakultät

der Universität Leipzig

vorgelegt von

Werner Ratfisch

appr. Zahnarzt aus Schwerin/Mecklbg.

Leipzig 1936

Druck von Alexander Edelmann

Universitäts=Buchdrucker.

4

Gedruckt mit Genehmigung der Medizinischen Fakultät
der Universität Leipzig, am 22. Mai 1936.

Referent: Herr Professor Dr. v. Brunn.

Meinen lieben Eltern in Dankbarkeit gewidmet.

Zur Geschichte der medizinischen Verwendung des Eibisch (Althaea officinalis L.).

Die vorliegende Arbeit, die eine historisch-medizinische Betrachtung über die Althaea officinalis L. zum Thema hat, soll ein Beitrag zur Geschichte der Heilpflanzen sein. Vorausgeschickt seien zunächst einige Vorbemerkungen allgemeiner Art über die Pflanze. Die Althaea officinalis L. gehört zur Gattung Althaea aus der Familie der Malvazeen, welche etwa 15 Althaeaarten umfaßt, die in Europa und im gemäßigten Asien vertreten sind. Ihr Bau ist nach Hegi (V, 1, 467 ff.) folgender: Die Pflanze ist ausdauernd, 60—150 (200) cm hoch. Die spindelförmige Wurzel wird frühzeitig durch einen dicken, walzlichen, waagrecht kriechenden, ästigen, armfaserigen Wurzelstock ersetzt, der oben aufrechte, einfach oder wenig verzweigte Stengel trägt, die mit einem dichten Filz von Büschelhaaren bedeckt sind. Sie besitzen ziemlich kurz gestielte, dicke, beiderseits dicht samtig-weichfilzige, grau bis graugrüne, seidig glänzende, spitze Blätter mit unregelmäßig gekerbt-gesägtem Rande und Faltung zwischen den Adern; im unteren Teile dreieckig-herzförmig, spitz, drei- fünflappig, mit unterseits stark hervortretenden Nerven werden die Stengelblätter im mittleren und oberem Teile ungleich eiförmig, schwach drei-fünfteilig, aber weniger tief gelappt. Die Nebenblätter sind lineal, etwa 1 cm lang, fast bis zum Grunde geteilt und dicht sternhaarig. Die Blüten, bis 5 cm breit, befinden sich in blattwinkelständigen und endständigen Trauben an kurzen sternhaarfilzigen Stielen. Ihr Außenkelch zählt 6—9 am Grunde verwachsene eiförmige, zugespitzte Blätter, die etwas kürzer sind als der etwa 1 cm lange eigentliche fünfzählige Kelch. Die fünf weißen oder hellrosafarbigen, dunkel geaderten Kronblätter sind bis 2 cm lang, seidig glänzend, oben seicht ausgerandet und laufen am Grunde keilförmig zu. Die Staubblätter haben eine Länge bis zu 12 mm, die schwach flaumigen Staubfäden eine hellviolette Farbe, während der Staubbeutel purpurrot ist. Der Fruchtknoten ist filzig behaart; die Früchtchen sind auf dem

5

Rücken konvex, an den Rändern abgerundet, glatt oder gekörnelt rauh, dicht filzig und enthalten nierenförmige Samen. Die Pflanze blüht von Juli bis September auf feuchten Wiesen, im Ufergebüsch, in feuchten Hecken, auf Viehweiden; besonders auf kali- und salzhaltigen Böden (Meeresstrand, Salinen) und hier vielleicht einzig ursprünglich. Außerdem wächst sie hier und da aus Gärten verwildert und eingebürgert. Die allgemeine Verbreitung erstreckt sich auf Sibirien bis zum Alatau und Altai, Stromgebiete des Kaspischen, Schwarzen und östlichen Mittelländischen Meeres, sowie der südlichen Ostsee (vereinzelt bis Pommern, Schonen und Süddänemark); im westlichen Mittelmeergebiet und Atlantischen Europa (bis Irland, England und Holland) ist sie wohl nur eingebürgert. Eingeschleppt findet sie sich jetzt auch in Nordamerika in den Salzmarschen der Küsten von Massachusetts, New York und Pennsylvanien. In Deutschland wächst die Althaea off. L. wild oder alteingebürgert an der Ostseeküste von Usedom bis Schleswig (sehr zerstreut), in der Altmark, in Hannover, um Magdeburg, in Thüringen, in Sachsen, im Mittelrhein- und Untermaingebiet. Im übrigen Deutschland wird sie häufig kultiviert (sie verwildert auch öfters), so besonders in Franken, in der Niederlausitz, vereinzelt auch im übrigen Brandenburg, in Ostpreußen, Westpreußen, Schlesien und Sachsen, Südbayern, Württemberg, Baden, Elsaß, am Harz und Westfalen. Im großen wird die Pflanze gegenwärtig besonders bei Gochsheim unweit Schweinfurt und im „Knoblauchlande" bei Nürnberg (der nördlichen Umgebung der Stadt) angebaut. (H e g i.)

Als Radix Althaeae sind die im Herbst oder Frühjahr gesammelten geschälten und bei 35° C getrockneten gelblichweißen, fleischigen Wurzeläste und Nebenwurzeln der zweijährigen, kultivierten Pflanzen offizinell. Als chemische Bestandteile fand Bacon 1826 Gummi, fettes Öl, Eiweiß und Althaein, welch letzteres Plisson für identisch mit dem von Robique in Asparagus entdeckten Asparagin erklärte (T s c h i r c h, II, 351 f.). Als für die Therapie wertvollsten Inhaltsstoff birgt die Eibischwurzel etwa 35% Schleim von der allgemeinen Polysaccharidformel $(C_6H_{10}O_5)n$. Er besteht aus etwa 64% Glucosan, daneben aus Xylan (v. F r i e d r i c h s). Weitere Bestandteile sind: etwa 37% Amylum, 10% Rohrzucker, 0,78% Invertzucker (v. F r i e d r i c h s), 11% Pektinsubstanzen (B u c h n e r), 1,7% fettes Öl mit Glyzeriden der Palmitin-, Öl- und Buttersäure (v. F r i e d r i c h s), ferner Betain, ein Lecithin (O r l o w), 0,8—2% Asparagin, Enzyme, flüchtige Riechstoffe, etwa 5% an Phosphaten reiche mineralische Bestandteile und Gerbstoff (in den Randschichten der ungeschälten Wurzel). Die Blätter sind als Folia Althaeae offizinell. Sie enthalten als wesentlichsten Bestandteil Schleim neben Spuren

6

von ätherischem Öl. (K r o e b e r, 42, K o m m z. D. A r z n e i b., 312 u. 628).
Die gleiche Verwendung wie Althaea off. finden die zu derselben Gattung gehörigen A. taurinensis D. C., A. narbonensis Pourr., A. cannabina L. — Südeuropa, Orient; A. pallida W. et Kit. und A. meonantha Lk. — Südeuropa; A. chinensis Cav.--China; A. ficifolia Cav. (Alc. fic. L.) — Mittelasien (D r a g e n d o r f f, 422). Nachdem wir so die Althaea off. L. in ihrer morphologischen Struktur, chemischen Zusammensetzung und geographischen Verbreitung kennen gelernt haben, kommen wir zum eigentlichen Thema, z u r G e s c h i c h t e d e r m e d i z i n i s c h e n V e r w e n d u n g d e s E i b i s c h.

„Dem indischen, babylonischen und ägyptischen Kulturkreise scheint die Verwendung der Althaea unbekannt gewesen zu sein" (T s c h i r c h, II, 354). Unter den antiken Autoren finden wir die ersten Angaben bei T h e o p h r a s t (371—288 a. Chr.) in seiner Historia plantarum. Im 9. Buch (Kap. 15, 5) spricht er davon, daß die Arkadier die in ihrem Lande wachsende Althaia „malachen agrian" nannten. Im Kap. 18, 1 geht er dann näher auf die Pflanze ein. Sie habe ein ähnliches Blatt wie die Malache, aber größer und behaarter, zarte Stengel, eine apfelgelbe Blüte, Früchte wie die Malache. Die Wurzel sei faserig und weiß, im Geschmack wie der Stengel der Malache. Schon hier wird die Pflanze als Hustenmittel genannt, als welches sie bekanntlich auch jetzt noch eine große Rolle spielt; ferner als Heilmittel für Brüche und Geschwüre. Ob sich die Angaben T h e o p h r a s t s aber wirklich auf unseren Eibisch beziehen, erscheint zweifelhaft, da er die Farbe der Blüte als melinos — d. i. apfel-, quittengelb — bezeichnet. Man könnte hier einen Irrtum des Autors annehmen und die Pflanze unserer heutigen Althaea mit F r a a s (100) gleichsetzen. Oder aber man zieht eine Pflanze heran, auf die die angegebenen Merkmale passen. S p r e n g e l (in seiner Übersetzung) denkt daher an A. acaulis, H e g i (463) an das Abutilon Avicennae, während L e n z (635) und B i l l e r b e c k (175) lediglich die erstgenannte Stelle auf unsere Althaea beziehen. Die Tatsache der Erwähnung als Hustenmittel läßt zwar die erstgenannte Ansicht als richtiger erscheinen, eine klare feste Entscheidung auf Grund des Textes müssen wir uns jedoch versagen. Erwähnt sei noch die bei D i o s k u r i d e s und P l i n i u s, später dann im Mittelalter wiederkehrende Darstellung, daß die geriebene Wurzel ins Wasser gegeben und das Ganze ins Freie gestellt, jenes gerinnen mache. Es ist dies wohl so zu verstehen, daß der in der Wurzel enthaltene und in Wasser lösliche Schleim das Wasser zu einer gummiartigen Flüssigkeit macht (M a r z e l l, Heilpflanzen, 88).

9

Ausführlich handelt P e d a n i o s D i o s k u r i d e s (77/8 p.
Chr.), der unzweifelhaft bedeutendste Vertreter der Arzneimit-
tellehre im Altertum, über die Althaea im Kap. 153 des III. Buches
(Ausg. v. W e l l m a n n, Kap. 146), in dem er einleitend als Syno-
nyma Ebiskos — manche lesen Hibiskos — und Althiskos angibt.
Die Beschreibung lautet in B e r e n d e s' Übersetzung: „Es ist eine
Art wilder Malve („moloches estin agrias eidos"); sie hat runde
Blätter wie das Schweinsbrod, flaumhaarig, eine rosenähnliche
Blüte, einen 2 Ellen langen Stengel und eine schleimige, innen
weiße Wurzel. Diese Beschreibung paßt gut zu der Althaea und
man könnte F r a a s, B i l l e r b e c k und L e n z (a. a. O.) un-
bedenklich zustimmen, die hier unsere Pflanze zu erkennen
glauben, wenn nicht die Form der Blätter als „periphere hosper
kyklaminos" angegeben wäre, was S p r e n g e l (Komm.), der mit
Bezug auf die Althaea des T h e o p h r a s t hier Lavatera flava
Desf. oder A. pallida Kit. heranzieht, und B e r e n d e s mit
Recht beanstanden. Man wird den Ausdruck, wie lezterer vor-
schlägt, lediglich auf die Berandung zu beziehen haben und als
„abgerundet" verstehen. Beachtenswert aber und auf die Identität mit der Althaea off. hinweisend erscheint uns die erstmalige
Erwähnung des Wortes Ebiskos (Ibiskos) bei D i o s k u r i d e s als
erstem g r i e c h i s c h e n Autor, das, wie wir später noch sehen
werden, für die Etymologie des Wortes Eibisch so außerordent-
lich wichtig ist. Über die vielseitige Verwendung lesen wir in
der genannten Übersetzung: „In Honigmeth oder Wein gekocht,
auch für sich allein gestoßen, ist sie ein gutes Mittel bei Wunden,
Drüsen an den Ohren und am Halse, bei Abszessen am After, ent-
zündeten Brüsten, bei Emphysem und Sehnenspannung. Denn
sie verteilt und erweicht, oder eröffnet und vernarbt. Gekocht,
wie angegeben, und mit Schweine- oder Gänsefett oder Terpentin
zusammengemischt wirkt sie in Zäpfchen gegen Entzündung und
Verstopfung der Gebärmutter. Ihre Abkochung leistet dasselbe,
befördert auch die sog. Lochien. Die Abkochung der Wurzel aber
mit Wein getrunken hilft bei Harnverhaltung, gegen die Beschwerden der Steinkranken, bei Dysenterie, Ischias, Zittern und
inneren Rupturen. Auch Zahnschmerzen lindert sie mit Essig
gekocht als Mundspülwasser. Die Frucht, grün und getrocknet,
bringt weiße Flecken weg, wenn sie fein zerstoßen mit Essig in
der Sonne aufgestrichen wird. Mit Essig und Öl ist sie ein
Schutzmittel gegen den Biß giftiger Tiere. Sie ist auch ein wirksames Mittel bei Dysenterie, Blutauswurf und Durchfall; die
Abkochung der Frucht ist ein Trank gegen die Stiche der Bienen
und aller kleinen Tiere, wenn sie mit Essigwasser oder Wein genommen wird. Auch die Blätter werden mit etwas Öl bei Ver-
wundungen und Brandwunden aufgelegt. Endlich verdickt die

8

Wurzel auch das Wasser, wenn sie fein gestoßen, damit vermischt und an die freie Luft gesetzt wird." Aus diesen ver-
schiedenartigen Indikationen heraus erklärt D i o s k u r i d e s den
Namen Althaia als von „polyalthes = vielheilend stammend.
Wie ganz anders die Erklärung I s i d o r s von Sevilla (570—636)
in dessen Etymologiae XVII, IX, 75: „Althaia malva agrestis, sive
malva viscus; sed althaia, quod in altum surgit (!) viscus quia
glutinosa est"! Was nach D i o s k u r i d e s über die Pflanze aus-
gesagt ist, bringt auf anderthalb Jahrtausend wenig Neues zum
Thema.

Zur gleichen Zeit verfaßte im Westen C a i u s P l i n i u s
S e c u n d u s (22—79 p. Chr.) seine Enzyklopädie der gesamten
Naturwissenschaften, die Naturalis historia. Auf die Einteilung
der Malvenarten eingehend (XX, 222) sagt er nach W i t t s t e i n s
Übersetzung: „Unter den wilden Malven heißt diejenige, „cui
grande folium et radices albae", Althaea und „ab effectus excel-
lentia Pleistolochia." Nachdem er dann im folgenden allgemein
über die verschiedenen Anwendungsmöglichkeiten der Malven
ausführlich gehandelt hat, kommt er (XX, 222) speziell auf die
Althaea genauer zu sprechen: „Die Wurzel der Althaea besitzt
gegen alle genannten Übel noch größere Wirksamkeit, namentlich bei verenkten und zerrissenen Gliedern. Die wäßrige Abkochung hemmt den Durchfall, die Abkochung der Wurzel in weißem Wein vertreibt Kröpfe, Parotiden, Entzündungen der Brüste;
und die Blätter in Wein gekocht und aufgestrichen beheben Geschwülste; trocken mit Milch gekocht heben sie sehr schnell den
Husten." (W i t t s t e i n.) An anderer Stelle (XX, 29) spricht
P l i n i u s von einem dem Pastinak ähnlichen Hibiscum, den einige
molochen agrian, andere pleistolochian nennen. Vergleicht man
hiermit den oben zitierten Text, so dürften keine Bedenken gegen
eine Gleichsetzung von Hibiscum und Althaea bestehen. Ebenso
denken B i l l e r b e c k, F r a a s und L e n z, während W a g l e r
meint, P l i n i u s verstehe darunter nur einander ähnliche Pflanzen. Jedenfalls ist schon im Altertum — vgl. auch G a l. XI.
867 — Althaia als ausdrücklich gleichbedeutend bezeichnet worden mit dem griechischen hibiskos, ibiskos, ebiskos und dem
lateinischen hibiscum, hibiscus, ebiscum, von welchen G r a s s -
m a n n (54) bemerkt: „schwerlich ist es ein ursprünglich griechi-
sches oder lateinisches Wort, da es in diesen Sprachen keine ver-
wandten Wörter hat und auch die Lautform auf eine Entlehnung hindeutet."

Einer genaueren Betrachtung bedarf noch die Erwähnung
des H i p p o k r a t e s (XX, 230), der die Wurzel der Althaea benutzt haben soll. Im allgemeinen findet sich bei diesem das
Wort malache ohne nähere Bezeichnung, an einigen Stellen jedoch

9

(z. B. d. morb. mul. I. Kap. 75) wird eine breitblättrige malache agria genannt, die unter Umständen die Heranziehung unserer Althaea berechtigt erscheinen lassen könnte. Nach D i o s k u r i - d e s und P l i n i u s selbst ist die Althaea eine Art wilder Malve mit großen Blättern, was aber keineswegs den Schluß zuläßt, daß jede derartige Malve eine Althaea ist. Wir haben es hier mit einem typischen, durch falsches Verstehen oder flüchtiges Übersetzen verursachten Fehler des Autors zu tun (vgl. D i e r - b a c h, 72).

Daß die Pflanze im ersten nachchristlichen Jahrhundert arzneilich gerne benutzt wurde, geht aus dem ersten Dispensatorium, den Compositiones medicamentorum des S c r i b o n i u s L a r g u s (47 p. Chr.), hervor, bei dem sich ebiscum und hibiscum finden. Er läßt die in aqua mulsa abgekochte Wurzel bei Drüsenschwellungen und Podagra auflegen; innerlich wird sie gar nicht von ihm angewandt (80, 82, 160). Der ungefähr zur gleichen Zeit lebende C e l s u s wird auch von P l i n i u s (XX, 29) erwähnt, der radix hibisci mit Wein kochen und gegen Podagra, das nicht mit Geschwulst verbunden ist, auflegen läßt (d. med. IV, 31).

Auch über den engeren Kreis unserer Wissenschaft hinaus ist die Pflanze hinreichend bekannt gewesen. V i r g i l (70—19 a. Chr.) erwähnt sie in seinen Eclogen zweimal. In II, 30 soll die Herde mit dem „viridi hibisco" zusammengetrieben werden; in X, 71 wird ein Körbchen aus dem „gracili hibisco" geflochten. Auch in den Eclogen des C a l p u r n i u s (40 p. Chr.) findet sich der Name in folgender Wendung (III, 32): „viridique famem solarer hibisco", wozu festgestellt werden muß, daß die Pflanze sonst nicht zum Essen verwandt wurde (vgl. P l i n. XIX, 89).

In G a l e n o s (129—199) erreicht die nachhippokratische Zeit ihren Höhepunkt. Für die späteren Autoren bildet er neben D i o s k u r i d e s die Hauptquelle der Antike; indessen bringen seine mehr pharmazeutischen Ausführungen gegenüber letztgenantem wenig Neues. Während man VI, 646 liest, die Althaia scheine eine wilde Malve zu sein, möchte man auf Grund von XI, 867 und XII, 67 die Auffassung des D i o s k u r i d e s von der Verwandtschaft beider Pflanzen wiederholt sehen, wenn man nicht sogar beide Namen als synonym fassen will (s. W a g l e r), was aber nach XI, 739 unwahrscheinlich ist. Darüber hinaus nennt G a l e n o s noch eine baumartige Malve, dendromalache, (XII, 67 und XIV, 331), die „onomazetai de kai althaia". Die Deutung dieser Pflanze ist strittig. Sie ist entweder Malva silvestris L., die bei einiger Pflege eine große Höhe erreicht, oder die Lavatera arborea L. (neugr. dendromolocha), die in Griechenland wild wächst oder in Gärten kultiviert und nach v. H e l d r e i c h (s. L e n z) ebenso benutzt wird wie Malva sil-

10

vestris (vgl. Fraas und Fischer-Benzon 128). Jedenfalls liegt hier fraglos ein Irrtum Galens vor. In therapeutischer Hinsicht wird die Althaea als Diaphoreticum, Chalasticum, Antiphlogisticum und Emolliens genannt. Wurzel und Same werden gerühmt wegen der besonders feinteiligen, trocknenden und reinigenden Kraft und der damit zusammenhängende gute Erfolg gegen weiße Flecken auf der Haut. Der Absud der Wurzel ist wegen der styptischen Eigenschaft bei Dysenterie, Diarrhoe und Blutauswurf, die Wurzel gegen entzündliche Geschwülste, der Same bei Nierensteinen geeignet (VI, 646; XI, 739, 750, 867). Zusammenfassend kann man hinsichtlich der Identität mit unserer heutigen Althaea sagen, daß zwischen Galenos und Dioskurides keine wesentlichen Unterschiede bestehen.

Richten wir unseren Blick nun auf die bei Galenos ihren Ausgang nehmende wissenschaftliche Entwicklungslinie in der Arznei- und Kräuterkunde, die über Oribasius (325—403), Alexander von Tralles (525—605), Aëtius (6. Jh.), Paulus von Aigina (7. Jh.) zu den Byzantinern des 8. bis 13. Jh. führt, so können wir keine wesentlichen Fortschritte feststellen. Die therapeutischen Anwendungsgebiete wie auch die Unklarheiten hinsichtlich der Nomenklatur bleiben bestehen, weil die Angaben der vorangehenden Autoren einfach übernommen werden. Neu ist lediglich das Auftreten von Rezepten, die sich durch Länge und Kompliziertheit auszeichnen, und deren Ausgestaltung zu hoher Blüte entwickelt wird. Genannt sei nur die sog. „Eibischsalbe" bei Alexander, bestehend aus: „Bockshornklee, Leinsamen, Eibisch, Wachs, Kolophonium, Öl, gutem Galbanharz"; sie wird angewandt bei Verhärtungen der Eingeweide und vielen anderen derartigen Leiden (Üb. v. Puschmann, II, 516).

Die lateinischen Autoren treten in dieser Zeit mehr und mehr zurück. Bei ihnen kann man eine mehr volkstümliche Richtung erkennen, die ihren Ausgangspunkt in Plinius und Scribonius Largus nimmt. Im Herbarius (Kap. 38) des Pseudo-Apuleius (um 400) wird Herba ibiscum — in einfacher Rezeptform — für Krankheiten empfohlen, auf die auch Plinius und Dioskurides sie anwandten. Am Schluß finden wir eine Probe von den seit dieser Zeit mehr und mehr anschwellenden Synonymen, die ohne jede Kritik nebeneinander gereiht werden: „A Graecis dicitur altea, aliis alteas riza, alii eleomolocin, alii molocen Creticen, alii anadendromolocin, alii sicofillon, Romani ibiscum dicunt." Des öfteren erwähnt auch Marcellus Empiricus (4. Jh.) in Bordeaux Ibiscum oder Radix Ibisci. Da sein Heilmittelbuch besonders keltische Volksmedizin bringt, ist hinsichtlich der geographischen Verbreitung der bedeutsame Schluß zu ziehen, daß die Althaea im heutigen Südfrankreich bereits

11

seit langem bekannt war. Somit schließt sich auch nach Norden der Kreis der Länder, in denen man zur Zeit des ausgehenden Altertums die Heilkraft unserer Pflanze schätzte.

Wenden wir uns nun der arabischen Medizin zu. In dem im Mittelalter weitverbreiteten Liber de medicamentis simplicibus des Serapion jun. (zw. 1100 und 1300) beginnt das 76. Kap.: „Chitini rosa zaueni et est malvaviscus". Anschließend wird fast wörtlich wiederholt, was Dioskurides und Galenos über die Althaea sagten. Will man also unsere Pflanze hier erkennen, so wird doch der Ausdruck rosa zaueni störend, welchen Guigues als „rose des prostituées" übersetzt, der sich aber sonst nirgends für die Althaea angewendet findet. Beyrouth (nach Guigues) nimmt daher A. rosea an, was schon im 16. Jahrh. Bock (s. unten) tut. Bei dem einflußreichsten unter den arabischen Ärzten, Avicenna (980—1037), finden Meyer und Jessen (s. Ausg. v. Albertus Magnus, 483, Anm.) den Namen Chitthmy; Gerhard von Cremona (II, 75) u. Albertus Magnus übersetzten ihn mit Althaea. Dazu lesen wir bei Simon Januensis (13. Jh.): „Khitim i. e. arab. althaea". Das Wörterbuch des Matthäus Sylvaticus bringt dieselbe Notiz. Ob die Verfasser über die Identität der antiken und der arabischen Althaea Klarheit gewonnen haben, muß dahingestellt bleiben. Für die Kenntnis der Anwendungsgebiete bei Avicenna mag das genügen, was Albertus Magnus und der Hortus sanitatis von ihm übernehmen (s. u.). Unter dem Namen Khitmi (nach Leclerc II, 36); Sontheimer liest Chuthmi) steht eine ausführliche Kompilation in dem Sammelwerk des Ibn-Baithar (gest. 1248), des bedeutendsten Pharmakognosten der Araber. Die unklare Vorstellung dieses Autors über das Aussehen unserer Pflanze zeigt sich darin, daß er aus Dioskurides neben dem Althaea-Kapitel auch das folgende über die Alcea zitiert. Sontheimer denkt an Althaea ficifolia Cav. Welche Althaea Ibn-Baithar wirklich gemeint ist, ist schwer zu entscheiden. Zusammenfassend läßt sich jedenfalls sagen, daß Khitmi, Chitthmy, Chuthmi, in der arabischen Medizin sicher Althaea bedeuten; ob aber Althaea off. L. oder eine der Paralleldrogen darunter zu verstehen ist, muß offen bleiben. Die Anwendung bei einigen arabischen Ärzten (nach Ibn-Baithar, übers. v. Sontheimer) ist nicht grundsätzlich verschieden von der der abendländischen Althaea, sie bringen aber einige — bis zu gewissem Grade — originelle Rezepte: Die Bücher der Erfahrung: „. . . Wenn man sie (Samen) unter die Clystiere mischt, so sind sie bei klopfenden Schmerzen des Mastdarms von Nutzen. Wenn man ihren Schleim mit heißem Wasser auszieht und mit braunem der weißem Zucker reicht, so sind sie

12

bei trockenem Husten von Nutzen. Die Rinde der Wurzel, wenn sie mit Wasser gekocht wird, erweicht die harten und steifen Glieder und die anchylosierten Gelenke. Wenn die Blätter gekocht und mit Butter zusammengerieben werden, so zeitigen sie heiße Geschwülste." Ebn Elhozar weiß zu berichten: „Wenn man von dem Mehl der Kerne der Datteln zwei Teile nimmt und von dem Samen dieser Pflanze einen Teil, das Ganze zusammenstößt, mit Essig zusammenreibt und davon auf Geschwülste, welche sich an den Genitalien entwickeln, Umschläge macht, und welche Geschwülste die Ärzte ermüdet haben, so zerteilen sie dieselben." (Sontheimer, 1, 373.)

Für die Kenntnis der Verbreitung und Verwendung der Heilpflanzen im abendländischen Norden fließen die Quellen zunächst recht spärlich. Eine der ältesten und wichtigsten ist das berühmte 812 von Karl dem Großen erlassene „Capitulare de villis", das Verordnungen zur Verwaltung der Hofgüter, darunter auch Vorschriften für den Anbau von Gartenpflanzen (Kap. 70) enthält. In der Mehrzahl sind dies solche, die zu Heilzwecken verwendet wurden. Darunter steht neben malvas auch mismalvas mit dem Zusatz von späterer Hand „ibischa id est alteas", desgleichen auch im Inventar vom Garten des Hofgutes Treola (Pertz, 180, 186 f.).

Das Wort mismalvas gibt zu einigen sprachgeschichtlichen Bemerkungen Anlaß. In den Angaben der antiken Autoren wurde als besondere Eigenschaft der Pflanze der hohe Schleimgehalt der Wurzel gegenüber den anderen Malven hervorgehoben, und so entstand wahrscheinlich schon sehr früh aus dem Ausdruck malva viscida das Wort malvaviscus. Isidor von Sevilla bringt dieselbe sprachliche Ableitung (s. o.) und auch im folgenden werden wir noch oft auf das Wort stoßen. Dieser Zusammensetzung bedienen sich durchweg die romanischen Sprachen zur Bezeichnung unserer Pflanze. Dafür einige Beispiele: franz. guimauve (gui = viscus — mauve aus malva), ital. malvavischio, span. malvavisco, portug. malvaisco. Hierher gehört auch das englische marshmallow. Die Ansicht, das Wort sei aus malva-hibiscus entstanden, wie sie Meyer-Lübkes (Nr. 5275) und Schrader (225) vertreten, hat weniger Wahrscheinlichkeit für sich. Umgekehrt ist auch der Ausdruck viscida malva geprägt worden, woraus sich vismalva (nismalva) und bismalva bildete, welche wir ebenfalls als Namen für die Althaea antreffen werden.

Für die Untersuchung der Pflanzennamen dieser und früherer Zeit geben hervorragende Auskunft die Pflanzenglossare medico-botanischen Inhalts, die im Corpus gloss. lat. zusammengestellt sind. Sie überliefern uns den Sprachgebrauch aus der Zeit etwa vom 3. bis 9./10. Jahrhundert. Zum andern ist anzunehmen, daß die hier angeführten Pflanzen in den Klostergärten Platz und Pflege fanden (Fischer-Benzon, 14f.). In den Hermeneumata Cod. Vat. Reginae Christinae (10. Jh.) finden wir als Synonyma altea euiscus, ibiscus und uismalva (548, 30; 580, 2). Aus all dem geht hervor, daß mismalvas im Capitulare ein Schreibfehler für uismalvas ist, zum andern aber daß die Pflanze sich zu jener Zeit einer hohen Wertschätzung erfreute. Im St. Galler Klosterplan (820) vermissen wir jedoch die Althaea.

Der Neigung, das naturwissenschaftliche Wissen in Lehrgedichten mitzuteilen, begegnen wir u. a. in dem „Macer Floridus de virtutibus herbarum" des Odo von Meung aus der 1. Hälfte des 11. Jahrhunderts. Die ausführliche Würdigung, die unsere Pflanze hier findet, bietet zugleich eine Reminiszenz an Plinius, Dioskurides, Galenos, Oribasios, Gargilius Martialis, Palladius, Constantinus Africanus u. a. (Resak, 5). Die Verse lauten (43):

„Althaeam malvae speciem nullus negat esse,
Althaeamque vocant illam, quod crescat in altum.
Hanc ipsam dicunt Eviscum, quod quasi visco
Illius radix contrita madere videtur,
Agrestisque solet a multis malva vocari.
In mulsa coctus flos eius vulnera purgat,
Vel si cum vino tritum florem superaddas,
Spargere sic scrophas, anumque iuvare dolentem.
Dicitur, hocque modo conquassatis medicatur.
Elixata prius radix adipique terendo
Addita porcino terebinthinaeque tumores
Matricis curat, reliquosque invare dolores
Dicitur illius, nervos sic ipsa relaxat,
Rumpit vel spargit sic apostemata dura.
Omnes has causas elixatura iuvabit,
Si loca morborum foveantur saepe tepenti.
A dysentericis radicum coctio sumpta
Cum vino fluxum stringens compescit eorum,
Et pellit tardas haec coctio sumpta secundas,
Et prodest haemoptoicis, lapidesque repellit,
Vesicaeque solet variis succurrere causis.
Acri cum vino contritum semen olivo
Jungito, deformes maculas hoc unguine pelles.
Cum pusca potata potest obstare venenis,
Elixata prius cum melleque trita replebit
Vulnera quae cava sunt, si sit superaddita saepe;
Sic quoque duricias mollit lenitque rigores;
Decoctio oleo foliis factum cataplasma
Quosvis pestiferos morsus combustaque curat."

14

Für die Verbreitung und Verwendung der Althaea speziell im Deutschland des frühen Mittelalters bieten ein bedeutungsvolles Zeugnis die Physika der Hildegard von Bingen (1099—1179), bei der sich die Anfänge vaterländischer Naturforschung finden. Obwohl lateinisch schreibend, bringt sie für die einheimischen Pflanzen auch deutsche Namen. So liest man im ersten Buch, Kap. 141, von einer Ybischa. Die sprachliche Entlehnung des Wortes aus dem lat.-griech. ibiscum, zum anderen die Verwandtschaft mit dem heutigen „Eibisch" sind unverkennbar. Bereits im Althochdeutschen findet sich das Wort ibisca. Eine Zusammenstellung der zahlreichen Formen dieses Wortes in den althochdeutschen Glossen liefert Björkmann (183): iuisca, ivisca, ibischa, ibisha, iuischa, ibische, ybische, ybisch, ibisch, ibesche, ybesche, iuesche, ybeche, ybich. Diese Namen wiederholen sich im Mittelalter, bis dann im 16. Jh. bei Fuchs und Matthioli erstmalig unser heutiges „Eibisch" auftritt. In diesem Zusammenhang seien auch die mundartlichen Formen gebracht, wie sie uns Marzel (dtsche Namen der Heilpfl., 40) bietet: Ebbich, (Rheinpfalz), Ibisch (Elsaß), Ibschtenwurz (Baden), Ibsche, Ibschge, Ibste (Schweiz). Das Vorkommen des aus dem antiken ibiscum entstandenen Namens ibisca im Althochdeutschen deutet klar darauf hin, daß die Einführung der Pflanze in Deutschland bereits in die althochdeutsche Zeit fällt. Gleichzeitig fand auch der lateinische Name Eingang in den deutschen Wortschatz und nahm die eben gezeigte Entwicklung. Die Klöster, besonders die Benediktiner, waren es wohl, durch deren Vermittlung die Pflanze in Deutschland bekannt wurde. Jedenfalls dürfte das Capitulare für die Verbreitung in unserem Lande wenig Einfluß gehabt haben (anders Flückiger u. Hanbury, 92). Das längere Bekanntsein der Pflanze läßt sich aus den Angaben Hildegards vermuten; denn ihre Verwendungsweisen sind volkstümlich und beachtenswert unabhängig von Dioskurides: „Ybischa calida et sicca est, et contra febres valet. Nam homo, qui febres habet, qualescumque sunt, ybischen in aceto tundat et mane jejunus et ad noctem ita bibat, et fiber, cuiuscumque naturae sit, cessabit. Sed et qui in capite dolet, Ybischan accipiat et modicum minus salviae addat, et has simul contundat, ac eis modicum de baumoleo commisceat, et tunc iuxta ignem in manu sua tantum calefaciat, et sic fronti suaesolummodo superponat, et panno liget, et ita obdormiat, et melius habebit."

Was wir bei dem als Naturwissenschaftler hochgeschätzten Albertus Magnus (1193—1280) lesen über die Verwendung der Althaea, ist eine reine Kompilation aus dem Kanon des Avicenna: „Altea graeco nomine dicitur a iuvamento multipli, quod est in ea. Est autem calida cum aequalitate. Vocatur etiam

15

bismalva, eo quod habet folia sicut malva, sed est maior ea, habens crura longa plurima ex radice una. Vocant autem quidam eandem malvaviscum. Est autem lenitiva et maturativa et mollificativa et resolutiva, tam ipsa, quam semen et radix eins: haec enim sunt in una secum virtute. Mollificat autem apostemata, et prohibet ea et maturat ea, quae sunt sanguinea, et confert scrophulis, et cum adipe anseris confert doloribus iuncturarum Decoctio eius mundificat superfluitates foetarum. Stringit autem ventrem; et quando bibitur semen eius cum vino et oleo, prohibet nocumentum venenorum."

In das dreizehnte Jahrhundert fällt auch die Blütezeit der Schule von Salerno, auf die in diesem Rahmen kurz eingegangen werden muß. In dem bedeutendsten pharmakobotanischen Werk dieser Zeit, des Matthäus Platearius „De simplicibus medicinis", genannt auch „Circa instans", lesen wir über die Malven folgendes (mit Auflösung der Abkürzungen): „Malva frigida est et humida in secundo gradu, secundum quosdam frigida est in primo gradu, humida in secundo, cuius duplex est manieres: domestica, id est quae magis frigida et humida est et humiditatem huius subtiliorem, et silvestris, quae malvaviscus et bismalva dicitur, crescens altius et altiora et latiora habens folia; est autem quasi frutex et est minus frigida et huius humiditatem viscosiorem." Ziehen wir zum Vergleich und zur Erklärung andere Werke der salernitanischen Schule heran. In den „Tabulae Magistri Salerni" (VI,1) steht neben Malva Bimalva, wozu der Kommentar (Renzi, V 289) Bismalva als altea erklärt. In der Alphita, der wichtigsten Drogenliste der Salernitaner, lesen wir: Alphaea, bismalva, enfeos, eviscus, malvaviscus, hibiscus, idem", aber auch „Bismalva, altea idem". Das Bodleian-Manuscript (ed. Movat Oxford, 1897) enthält folgende in diesem Zusammenhang wichtige Angabe: „Malva silvestris (malua uiscus, altea, merch(e), malue, bismalua, caulis Sancti Cutberti, alta malua Cutbertsole)" (Tschirch, I, 1408 ff). Matthäus Sylvaticus (14. Jh.) bringt in seinen Pandekten folgende lexikographische Zusammenstellung: „Altea, malua hyspanica, malua agrestis, maluaviscus, ybiscus, euiscus latine. Arab. eristostos, shobozeticum rosasamen. Graece vocatur molochia agria", worauf er bezüglich der Anwendung die antiken und arabischen Autoren wörtlich zitiert. Etwas früher (um 1300) erschien die „Clavis sanationis" des Simon Januensis, der allerdings nicht der salernitanischen Schule angehört, dessen Werk aber ähnlich angelegt ist. Dort lesen wir: „Altea Dyas. sive molochisagia et esse dicitur malua agrestis. latini maluauiscum vocant. haec euiscus et ebiscum dicitur. arab. cathyn." Die Zusammenstellung dieser Zitate zeigt so recht das Anschwellen der Synonyma und

16

erklärt die leicht und oft eingetretene Verwirrung unter den Pflanzennamen. Jedoch können wir in allen genannten Fällen mit größter Wahrscheinlichkeit unsere Althaea vermuten. Lesen wir noch, was Matthäus Platearius über die Wirkung zu berichten weiß: „Malvaviscus plus mollificat et maturat. sola folia et magis radix trita cum assungia aliquantulum calefacta et superposita apostemata maturat, duriciem relaxat et mollificat. herba enim cocta cum radice fere ad consumptionem aquae apparebit quasi quaedam viscositas quae superposita apostema maturat durum relaxat et remollit. Ex aqua addita cera et oleo fit optimum unguentum ad praedicta. Aqua decoctioni seminis ipsius herbae valet contra tussim siccam confert ethicis. Semina autem saccelata et in oleo cocta duriciem splenis solvunt et mollificant". Diese für die Althaea sehr gut passenden Angaben sowie die Überlegung, daß der Weg von „einer Art wilder Malve" zu „der wilden Malve" schlechthin nicht weit ist, legen die Vermutung nahe, daß auch Platearius unsere Pflanze gekannt und gemeint hat. Schließlich sei noch der Tatsache gedacht, daß das Wort Althaea im Gegensatz zur Antike ohne den Buchstaben „h" geschrieben wird. Diese Auffassung, die Pflanze habe ihren Namen, „quia crescit in altum", übernimmt Simon von Macer Floridus — wir lernten sie schon bei Isidorus kennen (s. o.) —; sie bleibt dann bis ungefähr 1500 die herrschende Ansicht der Autoren und damit auch die entsprechende Schreibweise. Auch später ist das Wort oft mißverstanden worden und mußte sich zahlreiche Verdrehungen gefallen lassen: Allthee (Gotha), Alter Tee (Rheinpfalz), Alte Eh(e) (Ob.-Österreich), Altesalbe, Aderthee, Ewig Thee (Marzell, dtsche Namen der Heilpfl. 40).

Die erste Naturgeschichte in deutscher Sprache verfaßte Konrad von Megenberg (1309—1374), der von der „Weizen Papeln" zu berichten weiß: „Alcea haizt weizpapel. Daz kraut ist haiz in ainer ebenmaezichait und haizt auch ze latein bismalva und hat pleter sam die papeln habent". In der neuhochdeutschen Übersetzung von Schulz (331) heißt es dann weiter: „Das ganze Kraut ist aber größer und hat mehrere, aus einer Wurzel hervorgehende lange Stengel. Kraut, Wurzel und Samen erweichen die Abszesse und verhüten ihr Wachstum, zeitigen auch die Geschwülste und Geschwüre, die aus dem Blute stammen. Mit Gänseschmalz zusammen wirkt das Kraut gegen die Schmerzen an den Stellen, wo die Glieder aneinanderstoßen, wie am Knie und anderswo. Das gesottene Kraut reinigt den Leib von Gestank und übelriechender Flüssigkeit in seinem Innern. Mit Wein und Öl getrunken wirken die Samen giftwidrig." Dazu noch einige sprachliche Erläuterungen. Im Mittelalter bürgert sich der Name pappel für die Malven und Althaea in Deutschland ein. Er mag nach G r a ß m a n n (a. a. 0) mit dem deutschen Pamp, Pampe, Pappe, welche einen weichen Brei (noch heute so in Norddeutschland üblich) bezeichnen, zusammenhängen, und wie das griechische malache von der weichen Beschaffenheit der Pflanze benannt sein. (Vgl. B r u n f e l s (s. u.): „Bappelen werden genennet in Kryechischen vnd latin Malache vnd Malua.") Der Name Pappel für den Baum (Populus) ist aus dem lateinischen populus entlehnt und kommt bereits im Spätmittel-hochdeutschen vor. Es hat anscheinend mit Pappel = Malve nichts zu tun. (Schriftl. Mitt. v. M a r z e l l).

Aus dem Anfang des 14. Jahrhunderts stammt auch das B r e s l a u e r A r z n e i b u c h, in dem die Althaea ybische und wilde papele genannt wird. Die Angaben über Heilkraft und Verwendung bieten eine fast wörtliche Übersetzung der betreffenden Verse des M a c e r F l o r i d u s, so daß wir uns die Wiedergabe ersparen können.

Mit der Entwicklung der Buchdruckerkunst erscheinen im 15. Jahrhundert auch die ersten Kräuterbücherdrucke. Ein solcher ist das 1485 bei P e t e r S c h ö f f e r in Mainz in deutscher Sprache erschienene Kräuterbuch, genannt Hortus sanitatis, germanice Gart der Gesuntheit. Das Kapitel 12 über die „Altea ybisch" beginnt mit einer Aufzählung der Synonyma, wörtlich den Pandekten des M a t t h ä u s S y l v a t i c u s entnommen, und lautet dann weiter: „Der meister Diascorides in dem capitel Altea spricht daz die bletter sint runt glich der haselwurtz vnd hait eyn blom glich den rosen. yr wurtzel ist lang vnd hait viel fuchtung in ir vnd ist ynwendig wyß / Der würdig meister Avicenna in seynem andern buch in dem capitel Altea spricht das Altea sey heyßer natur. Vnd daz die wurtzel gesotten mit dem krude vnd uff die harten geswer geleyt weichet sye / Ibischbletter gesotten mit baumölen synt gut zu allerhande hitz vßwendig des libes als eyn plaster dar vff geleyt. Ibischwurtzel gesotten vnd gemenget mit essig nympt hyn morpheam das ist die böse gestalt der vßetzigkeit / Der samen von ybisch ist viel sterker zu der ytzunt genannt sucht. Wan er weychet alle hart geswere die da hitzig synt vnd heylet sere / Also genutzet ist er auch fast gut den zur swollen gliddern. / Ibischwurtzel vnd syn samen gesotten vnd fur an den hals geleget als eyn plaster weycht sqwinanciam das ist eyn geswere in den kelen / Der samen von ybisch nympt hyn den husten der sich erhaben hait von hitz vnd macht fast vßwerffen dar von eyn dranck gemacht mit ysop vnd leckritz in wasser oder in weyn gesotten — Der samen mit weyn gesotten vnd dar vnder gemißt baümölen verdribet aller hande mischflecken vnder den augen da mit geweschen / Ibischwurtzeln gesotten vnd gelegt da sich ein mensch gebrant hait zu het vß großhitz. und die zur-

18

bruchen syn in dem libe die sullen bruchen den samen von ybisch und darober drincken sie genesent darvon / Item wo einen eyn byene gestochen hett der neme ybischwurtzel vnd menge die mit essig vnd strich den dar uff er geneset zu hant / Ibischwurtzel gesotten mit weyn vnd den gedruncken macht fast woel härnen / Der samen von ybiß dribet vß den steyn der in den lenden liget / Der meister Serapio spricht daz der samen von ybisch so er frisch ist vnd gedrucket vnd darnach kleyn gestoißen vnd gesotten mit essig vnd da mit gesineret in der sonnen heilet morpheam das ist ein vnreynikeit der hute eyns vßsetzigen menschen / Ibischwurtzel gesotten mit wyn vnd den also gedruncken ist fast gut den innerlichen gliddern die zu brochen wern von slegen stoeißen oder von fallen / Item ybischwurtzel gesotten mit essig vnd den mundt mit geweschen macht gut zene vnd benymet den smertzen des zanfleysches." Die dem Kapitel vorangesetzte Abbildung zeigt eine durchaus naturwahre Darstellung der Pflanze.

Daß die Pflanze zu jener Zeit ihren festen Platz in dem Heilpflanzenschutz der Apotheken hatte, erkennen wir aus der sog. „Frankfurter Liste", einem Apothekeninventar aus der Zeit um 1450, in der unter der Rubrik „de radicibus" Radix Bis Malue aufgeführt ist. (Flückiger, 8 u. 27). Dasselbe zeigt das „Nördlinger Register" (um 1480), welches enthält, „was so notturflich ain yede appoteck habn soll." Hier finden wir neben malva bismalva et flos eius (Tschirch, I, 1611).

Im nächsten Jahrhundert, in dem auf allen Gebieten des geistigen Lebens ein neuer Aufschwung begann, entsteht die Pharmakobotanik, als deren Väter das Dreigestirn Brunfels, Bock und Fuchs angesehen werden. Ihren Kräuterbüchern wollen wir uns jetzt zuwenden.

Als erstes erschien das Contrafayt Kreüterbuch des Otto Brunfels (1534), der „von der Ibsich / oder grossen Bappelen / oder Wyld Bappelen" folgende Beschreibung gibt (121): „Ibisch wechßt mannshoch / mit vilen zarten vnd gestrackten gertlin. Seine bletter seind gleich einem Weinblatt / aber horecht / weych vnd ihre blumen wie weisse rößlin / darumb mans auch weisse Bappelen nennet. die wurtzel ist auch weiß / vnd groß — etwann anderthalben spannen lang." In dem Abschnitt über die Wirkung wiederholt er dann wörtlich, was Dioskurides bereits zu sagen wußte. Wie bekannt andererseits die Pflanze war, spricht aus den Worten: „Ibisch mit seinen hohen stengel / vnd lange grossen wurtzeln / wer kennt solichs nicht." (120).

Weit über Brunfels steht Hieronymus Bock (1498—1554), der nicht in erster Linie die Angaben der Alten wiederholt, sondern sich auf eigene Beobachtungen stützt. Wie anders und neuartig ist seine Beschreibung (138)!

2*

„Ibisch ist gantz ein besonder Wollecht weich geschlecht der Pappeln / vnd ohn zweiffel die heilsam ist — wie dann ihr Nam Althaea selbs bezeuget / darumb sie auch bey den Wundärzten breuchlicher ist dann andere wurtzel. Wachßt am liebsten an den feuchten orten / als in den Awen / nahe bey den Wassergräben / auff den Weyhern / vnd auch inn den gärten / da sie hingepflantzet würt. Dise weisse glatte wurtzel des Ibisch würt bald groß / gewinnet vil neben zincken / stosset auch jährliche newe braunfarbe Englein wie Alantwurtzel / darauß werden lange runde stengel gegen dem Meien / voller Eschenfarber wollechter bletter bekleidet / bis oben aussen zwischen den weichen blettern vnd runden stengelein wachsen die weisse Rößlin oder Schellen (deren etliche auch bleich gäl werden) herfür / in einem jeden Rößlein ein braunes haarechts Kölblein. Gegen dem Hewmonat blüen die Ibischkreutter. Der samen ist wie der gemeinen Pappeln / doch grösser / am geschmack süß / glatt / schlüpferig wie Leymen."

Wir lesen bei ihm weiter eine ausgezeichnete sprachgeschichtliche Betrachtung über den Namen Althaea: „Ibischwurtzel hieß auch wol Heilwurtz oder Hilffwurtz / von ihrem namen althaia, welches zu Latein nichts anderes ist / dann Medica / sonst heißt sie Ebiscus vnd Hybiscus / darvon ohn zweiffel ihr Teutscher name Ibisch kompt. Plinius 19,5 nennt Pastinacam Hybiscum / das sol vns hie nit irren. Galenus Anadendromalachen / das ist Arborea et arborescens Malva / diese Namen stunden füglicher der Winterrosen zu. Inn Barbaro heißt Ibisch Aristalthaea. Thephrastus vnd Macer nennen sie beide Agrestem Maluam, welcher namen der gemeinen Pappel zusteht. Etliche nennen sie olus Judaicum / Judenkraut. Inn Diosco. lib. III. cap. 153 heißt sie Althaea und Jbiscus / sagt darbey, das sie ein art der wilden Pappel sey / daher ihr der namen agrestis Malua bliben ist / doch kennet jederman Ibisch / vnd die gemeine weg Pappeln. Unsere Medici brauchen Ibisch sehr / vnd nennen sie Maluauiscum / vnd Bis Maluam / das ist / doppel Pappel / villeicht umb ihrer heilsamen tugend willen / deren man vil vnd sichtbarlich an der wurtzel mehr dann an den runden blettern befinden. Die Wurtzel zerstossen / vnd ins Wasser gelegt / macht das Wasser gestehen / wie die Wallwurtz / freilich ein treffenliche chur vnd hülff zum Bauchfluß. Serap nennet Altheam / Chitini / vnd spricht sie heiß Rosa zaueni / das verstehe ich auch von der Ernrosen. Herwiderumb im cap. 252 sagt er Alfa sei Althea."

In dem weiteren Kapitel „Von der Krafft und Wuerckung" gibt er mannigfaltige Verwendungsmöglichkeiten an: „Vnder allen Pappeln würt der Ibisch umb seiner heilsamen tugend willen herfür gezogen / allen Artzten inn den Leib vnd außwendig zu

20

brauchen / ein notwendig gewächs. Ist von Natur etwas warm vnd trucken. Würt im Brachmonat eingesamlet / fürnemlich die wurtzeln vnd samen / welche in der Arztney am besten sind.

Innerlich (zusammengefaßt):

Versehrung der Brust / Lungen / Blutrhur / Engbrüstig / Bauchfluß / Blutspeien/ Dröpfflich harnen / Ander geburt außtreiben / Stein / Harn.

Eusserlich (zusammengefaßt):

Was man von Pappeln geschrieben findt / soll zweiffaltig von der Ibischwurtzel verstanden werden / daher sie etlich Bismaluam nennen.

Geschwür / Mittel an Händen / Hornussen / Wespen / Immenstich / Entzündte Mutter / Feigwartzen / Flecken / vnd Rysamen vnder den Augen / Zanwehe / Innerlich Halsgeschwaer / Vnreine Haut.

Der dritte in dieser Reihe, Leonhard F u c h s (1501—1556), ist besonders erwähnenswert wegen der meisterhaften Abbildung der Pflanze, die er seinem Eibisch-Kapitel (5) beigibt. Sie ist die beste, die wir aus dieser Zeit besitzen. Ihr kommt am nächsten die des B r u n f e l s, während B o c k eine weniger gute Skizze liefert. In dem Abschnitt über die vires wiederholt er die Angaben der antiken Autoren, besonders des D i o s k u r i d e s.

Neben den „Vätern der Botanik" sind noch andere Forscher aus dieser Zeit zu nennen. Das vielleicht am häufigsten aufgelegte botanische Werk ist das auch in deutscher Sprache unter dem Titel „New Kreutterbuch" erschienene von dem Italiener M a t t h i o l u s (1501—1577); die stark an D i o s k u r i d e s anklingende ausführliche Darstellung der „Kraft vnd Wirckung" sei daher mitgeteilt (136):

„In Leib.

Eibischwurtzel in Wein und Honigwasser gesotten / vnd getruncken / heylet alle innerliche versehrung der Brust / der Lungen / vnd in summa ist dem gantzen Bauch dienstlich / Also gebraucht / heylet treffentlich wohl die verwundete Därm von der Blutrhur / oder andere scharffe Culerische verserung. Wider allerley tropffung vnd schmertzlich harnen / koche frische Eibischwurtzel mit der speiß / vnd lege sie auch in deinen tranck / vnd brauchs also im essen vnd trincken / es hilfft. Die Wurtzel in Wasser gesotten / vnd getruncken / treibt auß das Bürdlin / vnd ander oberflüssigkeit / so nach der geburt im Mutterleibe blieben. Eibischsamen treibt den Lendenstein / senfftiget den brennenden Harn.

21

Aussen.

Eibischwurtzel gesotten in Milch oder Wasser / biß ein Brey darauß wirdt / solch Pflaster obergelegt / erweicht und zeitigt alle Geschwür / lindert die starrende Glieder.

Eibisch Wurtzel gesotten / vnd mit Genß oder Schweineschmaltz / oder mit Terbenthin vermischt / dar auß Zäpfflen gemacht / vnd in Leib vntergestoßen / leschet die hitz der entzündten Mutter / vnd auch der Feigwartzen. Eibischwurtzel vnd Leinsamen gesotten / als ein Pflaster umb den Halß gelegt / weichet die geschwär in der Kälen.

Eibischsamen gepulvert / mit Meyentaiv temperirt zu einer Salben / vertreibt flecken vntern Augen. Der Samen mit Wein gesotten vnd darunter gemischt Baumöl / lescht ab allerhand mißfarben im Angesitzt / zeucht die hitz auß. Den kalten Brandt zu heylen: Nimb Eibischsamen / Leinsamen / Foeno graecum, jedes ein Löffelvol / Pappeln ein Handtvol / Sawerteig zween Löffelvol / sendt diß alles in Reinischwein / endtlich thue ein wenig saffran darzu / vnd schlags warm ober den gebresten. Die Wurtzel oder samen mit Essig gesotten / vnd also warm in den Mund gehalten / benimpt das Zahnwehe. Dieser Same getrucknet / darnach klein gestossen — gesotten mit Essig / sich darmit geschmieret an der Sonnen / oder nach dem Bade / heylet die unreine außsetzige Haut."

In dem ersten gedruckten deutschen Rezeptbuch, dem von Valerius Cordus (1515—1544) verfaßten Dispensatorium Pharmacopolarum, das 1546 der Rat der Stadt Nürnberg zum allgemeinen Gebrauch herausgab, finden wir auch zwei nach unserer Pflanze benannte Rezepte (210/11):

„Unguentum Dialthaea simplex, D. Nicolai.

Rp. Radicum Altheae lib. II, Seminis Lini, Seminis Foenograeci ana lib. I, Olei lib. IV, Cerae lib. I, Terebinthinae unc. II, Resinae unc. VI.

Emolliendi uim habet, calefacit, et humectat."

ferner:

„Unguentum Dialthaea compositum, D. Nicolai.

Rp. Radicis Altheae lib. II, Seminis Lini, Seminis Foenograeci ana lib. I, Scyllae recentis unc. VI, Olei lib. IV, Cerae lib. I, Therebinthinae, Gummi Hederae, Galbani ana unc. II, Colophoniae, Resinae ana unc. VI.

Valet proprie ad dolorem pectoris ex frigiditate et pleuresi, et super pectus inunctum sanat omnia loca infrigidata, calefacit, mollificat, et humectat."

22

Erwähnt sei in diesem Zusammenhange auch die ausgezeichnete botanische Beschreibung der Althaea, die C o r d u s in seiner Historia plantarum (I, Kap. 47) liefert. Sie besitzt durchaus neuzeitliches Gepräge.

Ein seinerzeit viel benutzets Werk ist der 1663 erschienene „Parnasus medicinalis" von Joh. Joach. B e c h e r (1635—1682), in dem sich (178) folgende Reime finden:

„Die Eibisch Wurtz erwärmt / erweicht / sie lindert auch /
Darumb hält man sie in Clystieren zum Gebrauch /
Im Seitenstechen / und im Zustand von der Blasen /
Drey Stück auß Eibisch Wurtz die stillen solches rasen /
Ein Wasser / ein Syrup' ein rechte Salb davon /
Bey krancken Leuten sie erhalten guten Lohn."

Diese recht hölzernen dem Althaea-Kapitel vorangestellten Verse besitzen jedoch keinen originalen Wert. Von größerem Interesse ist die Zusammenstellung der Präparate, die später im „Nürnberger Artzney-Schatz" übernommen sind:

1. Aqua ex floribus et foliis.
2. Mucilago ex radice.
3. Syrupus Althaeae Fernelii.
4. Unguentum Dialthaeae simpl. Nicolai.
5. Unguentum de althea compositum.

Ende dieses Jahrhunderts erscheinen die ersten Lehrbücher der Pharmakognosie. L é m e r y (1645—1715), einer der ersten Verfasser, schildert die „Vertus" der Althaea folgendermaßen (30): „Elle émolliente, humectante, adoucissante, pectorale, aperitive, propre pour les maladies der reins, de la vessie, pour la toux, pour les acretez, qui descendent de la poitrine, pour les ardeurs d'urine pour la colique néphretique."

Wichtig in diesem Zusammenhange ist das erste deutsche, allerdings in lateinischer Sprache geschriebene Werk dieser Art von dem Göttinger Professor M u r r a y (1740—1791). Dort lesen wir (III, 357): „Radix instruitur ramis longis, digitum vel pollicem crassis, extus subgrisea, interne alba est, et in fibras secundum longitudinem facile discerpi se patitur. In officinis epiderme plerumque priuata occurrit. Odore caret, gustata autem copiam mucilaginis subdulcis dimittit. Hacce ipsa quidem tota planta scatet, praecipue tamen radix. Nam radix mucilaginem ad dimidium fere ponderis erogat, folia vix ad quartam partem, flores et semina, quae quidem partes hodie non amplius praecipiuntur, ad quantitatem adhuc minorem."

Die therapeutische Verwendung — Blüte und Same werden also nicht mehr gebraucht — erstreckt sich auf folgende Gebiete:

23

„Mucilaginosarum stirpium in foro medico radix huius omnium fere usitatissima est, et usui interno tanto accommodatior, quum insipida sit. Emollit ista et relaxat solidas partes efficaciter, humorum acrimoniam inuiscat, et dispendium glutinis naturalis detritum in cauis resarcit, eademque lubricat. Multiplex igitur eiusdem, si ore capitur, efficacia in raucedine, tussi, pleuritide sicca, nephritide calculosa, et aliis calculi affectionibus, dysenteria, stranguria, tenesmo alui, gonorrhoea, quae, si recens, plerumque nonnisi diluentibus mucilaginosis copiose potis opus habet . . . . In affecctionibus variis externis crebra eius applicatio est. Dentitionem difficilem leuat radix integra melle cocta, quae infanti pro manducatione offertur; item lac, cui Caricae, radix Althaeae et pauxillum Croci incocta fuerunt, spongia exceptum et ginginis admotum; modo contactui ginginarum vehementia inflammationis non obstet. In ophthalmiis siccis vel acri illacrymatione stipatis decoctum proficit; prout nominatim in ophthalmiis post morbillos exortis iisque pertinacibus fomentatio sola oculorum, decocto radicis facta, efficacissimum auxilium praestitit. Gargarismata emollienta intrat, valdeque utile est huius radicis cum Caricis pro decocto connubium in angina faucibus siccis et ad ptyalismum in variolis alendum et leuandum. Concisa, et aqua vel lacte cocta, cataplasma commodum pro emolliendis et maturandis tumoribus praebet. Clysmatibus vulgo quoque additur. Foliorum eadem ratio, modo memineris, minus mucilaginis continere. Et haec usui externo pro cataplasmate praecipue conducunt."

In „D. Johann S c h r ö d e r s Nürnberger Artzney-Schatz" (Nürnberg 1748) werden vier Althaeaarten unterschieden: „Die erste ist die schlechthin so genannte Althaea, die andere die Althaea arborescens, die dritte Altheae palustris und die vierte Althaea Theophrasti oder Abutilon Avicennae. Aus diesen Arten ist die erste in Apothecken gebräuchlich. . . Malvaviscus oder Bismalva wird dieses Kraut genannt, weil es alles gedoppelt verrichtet, was sonsten die Malva verrichtet. Althaea nennet man es von „althainein" heilen, so daß Althaea „kat' exochen" ein artztneyliches Kraut heißet, dann „althos" soviel als ein Mittel bedeutet, denn man kann dieses Kraut zu unterschiedenen Leibs-Affekten gebrauchen." (Zu dieser Frage war bereits Stellung genommen. Aus dem Mißverstehen des Wortes Bismalva dürfte auch Dialthaea entstanden sein.)

Unter den Anwendungsmöglichkeiten wird — durch stärkeren Druck — besonders hervorgehoben: „Wenn man ferner die Wurtzel davon in Wein, Milch oder Meth kochet, so tauget sie in allerhand innerlichen Brust- und Lungenkranckheiten, Zernagungen der Gedärmer, in der rothen Ruhr, etc. . Wenn man sie in einer Fleischbrühe kochet, so treibt sie den Nierenstein aus.

24

Aeußerlich gebraucht man auch die Wurtzel in Clystiren zur
rothen Ruhr, statt eines sonderbaren Mittels, wegen der schmerz-
stillenden, stärkenden, gelind abstergierenden Krafft. Das Kraut
selbsten digeriret und laxiret gleichfalls gelinde, dahero kann
man andere wind- und steintreibende Mittel darzu thun, woraus
man auch Clystire bereiten kan. Wenn man aber dessen Blätter
mit Camillenblumen in Milch kochet, in einer Rindsblasen thut
und warm überleget, so taugen sie im Seitenstechen. Aus dem
Saamen kann man mit Rosenwasser einen Schleim ziehen, der
vor die von der Sonnen verbrannte Hautschmerzen dienet, besonders bei den zarten Jungfern." (1110).

Verschaffen wir uns nun einen Überblick über die Verwendung im 19. Jahrhundert an Hand einiger Arzneibücher! Einen
ausführlichen Beitrag liefert B u r d a c h (1807) in seiner „Arzneymittellehre" (I, 127 ff), aus der das Wesentliche mitgeteilt sei. Zunächst die Präparate, die mit Hilfe der Pflanze hergestellt
werden:

„Pasta Althaeae, weiße Reglisse: der Schleim aus Althäwurzel und arabischem Gummi mit Zucker, Eyweiß und Orange-
wasser eingekocht.

Syrupus Althaeae, Althäsyrup: Althäschleim, mit Zucker
und Wasser zur Syrupconsistenz gekocht.

Unguentum Althaeae, Althäsalbe: Althäschleim mit Butter,
Wachs und Harz.

Species ad Cataplasma, Species zu Breiumschlägen: Althäwurzel mit Malven- und Melilotenkraut, Chamillen und Leinsaamen gestoßen.

Species ad Enema, Klystierspecies: Althäkraut mit Chamillen und Leinsaamen gestoßen.

Unschicklich ist die Mischung des Schleims unter Pflaster,
z. B. Emplastrum diachylon und Emplastrum Meliloti."

Die Wurzel wird vornehmlich benutzt wegen ihrer „Ergiebig-
keit an Schleim", während die Blätter weniger Schleim enthalten.
Dagegen enthalten die Eibischblumen noch weniger und sind
daher entbehrlich.

Die Indikationsgruppen systematisiert er wie folgt:

„1. Gegen Entzündungen, und zwar

a) blos um die Spannung zu heben; so ist bei Augenentzün-
dungen, welche nicht sehr heftig sind und nicht asthenischer
Natur sind, sondern z. B. blos von der Gegenwart eines fremden
Körpers herrühren, eine lauwarme Bähung von dünnem Althä-
schleime von Nutzen; in derselben Form bey entzündlichem Zu-

25

stande von Wunden und Geschwüren; bey Entzündungen der Brüste so wie bey schmerzhaften Hämorrhoidalknoten und ähnlichen Entzündungsgeschwülsten bedient man sich der Salbe.

b) Bey Entzündungen schleimabsondernder Flächen wenden wir die Althäe an, theils um den mangelnden Schleim zu ersetzen, theils die Spannung zu heben und Schmerzen zu beseitigen; so bey einem entzündlichen Zustande der Lungen: bey Heiserkeit, Husten, Katarrh, Pneumonie, Lungensucht, Blutspucken wenden wir theils den Absud, theils die Paste, theils den Syrup entweder allein oder als Zusatz zu anderen Arzneymitteln an. Bey der Bräune gebraucht man den Absud als Gurgelwasser. Beym Tripper, welcher ächt entzündlicher Natur und schmerzhaft ist, sprützt man, wenn anders Injektionen vertragen werden, den lauwarmen Absud ein; noch besser ist es, diesen blos reichlich trincken zu lassen.

c) Bey Entzündungen, die man in Eiterung bringen will, wendet man die Althäa in Breyumschlägen an.

2. Um mangelnden Schleim zu ersetzen und die exaltirte Reizbarkeit der Organe herabzustimmen, wendet man sie bey der Ruhr und Diarrhoe, (im Absude, welcher um so dünner seyn muß, je mehr man die Gegenwart krankhaft erzeugter Stoffe im Darmcanale vermuthet, zum Trinken und als Klystier) bey Dysurie und Blasenkrämpfen von scharfen Giften, oder Harnsteinen etc. an.

3. Bey krankhaftem Zustande des Unterleibes läßt man einen Absud der Althäwurzel, welcher auch auf Chamillen infundiert werden kann, als Klystier und Getränk gebrauchen, auch die Salbe für sich oder mit Ammoniumsalbe, Camphergeist etc. einreiben. Selbst bey der Bleykolik bedient man sich mit Nutzen dieser Mittel.“

Ein Bild von der Beurteilung der Althaea im Lichte der pharmakodynamischen Erforschung der Heilkräuter bietet uns Vogt (1832), der unsere Pflanze zu den Arzneien rechnet, die vorzüglich auf den bildenden Prozeß wirken, und in engerem Sinne als Mucilaginosum zu den nährenden Mitteln (Nutrientia) zählt. Speziell über die Althaea schreibt er (II, 650): „Die Altheawurzel enthält reinen Schleim und Stärkemehl, weßhalb ihr Wirksames nur durch Kochen gehörig gelöst werden kann. Sie ist nur in unbedeutendem Grade, nicht viel mehr als das arabische Gummi nährend, hat aber die sonstigen Wirkungen der schleimigen Mittel, welche schon bei der bloßen Berührung sich bilden, in vorzüglichem Grade, und wird darum als schleimiges Mittel allgemein geschätzt. Am häufigsten wird sie benutzt bei

26

Reizungen der Respirationsorgane und des Darmkanals, so wie bei allen den in diesen Organen vorkommenden Krankheiten, welche den Gebrauch schleimiger Mittel verlangen." Bezüglich der Präparate führt er weiter aus: „Die verschiedenen Präparate der Althea dienen zu denselben Zwecken, wie sie selbst; z. B. die Pasta de Althaea bei Hustenreiz, der Syr. Althaeae zum Beisatz zu Mixturen, wenn diese mehr schleimig damit gemacht werden sollen, oder in denselben etwas einzuhüllen usw. Aeusserlich dient die Eibischwurzel zu erweichenden Bähungen, und das Unguentum de Althaea zu erweichenden Einreibungen." Die Eibischblätter werden nach V o g t nicht mehr gebraucht.

Der Londoner Arzt und Pharmakognost P e r e i r a (1848) gibt über die „Physiologische Wirkung und Anwendung" u. a. folgendes an (II, 719): „Man giebt dieselbe (Althaea) besonders bei Reizzuständen der Respirations- oder Verdauungswerkzeuge, sowie als Vehikel für manche heftiger wirkende, nicht dadurch zersetzbare Stoffe. Bisweilen wendet man sie auch als Streupulver für Pillen an. Man hat empfohlen, bei schwierigen Geburten in Folge von Rigidität der Weichtheile eine Abkochung von Althäawurzel in die Vagina zu injiciren."

C l a r u s in seinem Handbuch der speziellen Arzneimittellehre (1860) faßt Wirkung und Anwendung wie folgt zusammen (114/5): „Die Wirkung der Wurzel, die fast allein gebraucht wird. ist schwach nährend — ähnlich V o g t zählt er sie zu den Nährstoffen —, einhüllend und reizmildernd, weshalb man sie innerlich bei Entzündungen der Darm-, Respirations- und Urogenitalschleimhaut häufig braucht; äußerlich braucht man sie zur Bereitung von Gurgelwässern, bei Entzündungen der Mund- und Rachenschleimhaut, zu Klystiren bei Ruhr und Mastdarmkatarrhen, zu einhüllenden Einspritzungen bei Entzündungen der Urogenitalorgane. zu Waschungen bei Entzündungen der Augen, als Salbe bei Exkoriationen und Geschwüren der Haut, als Umschlag namentlich die Blätter bei Entzündungen äußerlicher Organe.

Präparate: 1. Pasta Althaeae. Jetzt obsolet. 2. Syrupus Althaeae. 3. Species pro infuso pectorali (Pharm. Saxon.): Rad. Althaeae, R. Liquir, Irid Florent. Fol. Farfarae, Flor. Rhoeados, Verbasci. Sem. anisi stellati. 4. Species pro gargarismate (Pharm. Saxon.): Herb. Althaeae. Flor. Sambuci, Flor. Malva arbor. 5. Unguentum Althaeae, Altheesalbe (Pharm. Saxon.): Adip. suill., Cerae alb., Mucil. radic. Alth., Mucil. Sem. fenu graeci, Mucil. Semin. Lini. 6. Species pro Cataplasmate (Pharm. Saxon.): Flor. Chamomill. vulgar., Herb. Althaeae, Herb. Malvae, Herb. et flor. Meliloti, Farina Semin. Lini."

Beschließen wir damit die Wiedergabe und Beurteilung dessen, was die verschiedenen Kräuter- und Arzneibücher über

27

die Althaea officinalis L. bringen, und wenden wir uns nunmehr der Darstellung der heutigen therapeutischen Verwendung dieser Pflanze zu. Die große Bedeutung des Eibisch in unserer Zeit erhellt aus der Tatsache, daß er in den Arzneibüchern aller Kulturstaaten Aufnahme gefunden hat (n. K r o e b e r). Das D e u t s c h e A r z n e i b u c h gibt als offizinell Radix und Folia an, zu deren Anwendung der Kommentar bemerkt (II, 312): „Eibischwurzel dient wegen ihres Schleimgehaltes in Mazerationen und in Form von Sirup Alt. als Hustenmittel und in Pulverform als Pillenkonstituens. Das Infus wird auch gern als Vehikel für andere Arzneistoffe und äußerlich zu Mundspülungen, Gurgelwässern usw. verwendet, ähnlich wie der Kamillentee." Und weiter (I, 628): „Die Eibischblätter enthalten als wirksames zwar nur Schleim, sind aber in Form des Infuses oder Dekoktes als Vehikel und Geschmackskorrigens für andere Arzneimittel und als Hausmittel viel im Gebrauch." Ferner werden noch folgende Präparate als offizinell angegeben:

„Sirupus Althaeae off.: Grobzerschnittene Eibischwurzel 2 Teile, Weingeist 1 Teil, Wasser 45 Teile und Zucker 63 Teile. (II, 497.)

Species pectorales, Brusttee: Eibischwurzel, Süßholz, Veilchenwurzel, Huflattichblätter, Wollblumen, Anis. (II, 509.)

Species emollientes, Erweichende Kräuter: Eibischblätter, Malvenblätter, Steinklee, Kamillen, Leinsamen." (II, 508.)

Ist also der Eibisch in der offizinellen Arzneiverordnung etwas in den Hintergrund getreten, so hat er um so mehr in der Volksmedizin bis heute auf Grund der früheren Erfahrungen und Beobachtungen seinen Platz behaupten können. Am bekanntesten ist die Wurzel als demulzierendes Mittel bei Katarrhen der Respirationsorgane und Reizzuständen der Verdauungswerkzeuge; daher ist sie auch Bestandteil der verschiedensten Hausmittel. Als Niederschlag der heutigen volkstümlichen Anwendung seien die Angaben von E c k s t e i n und F l a m m „Die Kneipp-Kräuterkur" gebracht, die im Gegensatz stehen zu dem (nach K r o e b e r) merkwürdigerweise wenig günstigen Urteil von Seb. K n e i p p selbst. E c k s t e i n und F l a m m sagen: „Die Eibischwurzel kann in größerer Menge genossen, durchaus als Kräftigungsmittel Verwendung finden, wobei der verhältnismäßig hohe Gehalt an Mineralstoffen gerade bei geschwächten Patienten seine Verwendung rechtfertigt. Im übrigen ist Eibisch bei Husten und Heiserkeit zu gebrauchen, so bei Katarrhen der obersten Luftwege, hier auch in Form des Gurgelwassers; ferner bei den verschiedenartigsten katarrhalischen Veränderungen des Magens und Darmes mit und ohne kolikartige Beschwerden; bei Magen-

28

geschwür; hier meist in Verbindung mit einer gerbstoffhaltigen Droge, wie Tormentill, oder einer ätherischen Öldroge, wie Kamille. Bei gleichzeitig bestehender Entzündung der Blasenschleimhaut wirkt der Eibisch auf die Ausheilung dieser Zustände indirekt günstig ein."

Fassen wir nun das Ergebnis dieser Untersuchungen zusammen, so können wir feststellen, daß der Eibisch zu den ältesten Heilpflanzen unseres Arzneischatzes gehört. Die frühe Entdeckung der hervorragenden Eigenschaften hat es bewirkt, daß sich die Pflanze schon sehr bald eines ausgezeichneten Rufes erfreuen konnte, ja sogar die 2000 Jahre, während der wir die Verwendung verfolgen konnten, in gleichbleibend hohem Maße.

Nach Zeiten der Geringeinschätzung der Heilkräuter verspüren wir in der Medizin der Gegenwart das eifrige Bemühen, dieselben wieder in stärkerem Maße therapeutisch zu verwenden. Zur historischen Fundierung dieser Bestrebungen mögen die vorliegenden Ausführungen über die Althaea officinalis L. einen Beitrag bilden.

Zum Schluß ist es mir eine angenehme Pflicht, Herrn Professor Dr. von Brunn für die Überlassung des Themas und liebenswürdige Unterstützung bei Anfertigung der Arbeit sowie Herrn Professor Dr. Marzell (Gunzenhausen) für gütige Anregungen meinen ergebensten Dank auszusprechen.

29

Literaturverzeichnis.

A l b e r t u s Magnus: De vegetabilibus libri 7 [= Historia nat. pars 18]
ed Meyer, E. u. Jessen, C. Berlin, Reimer 1867.

A v i c e n n a: Medicorum Arabum principis Liber Canonis, lat. v. Ger-
hardus Cremonensis. Basel, apud Heruagios 1556.

B e c h e r, Joh. Joach.: Parnassus Medicinalis Illustratus. Ulm. Görlins
1663.

B i l l e r b e c k, J.: Flora Classica. Leipzig, Hinrich 1824.

B j ö r k m a n n, Erik: Pflanzennamen in den althochdeutschen Glossen.
Zeitschr. f. dtsch. Wortforschung 6 (1904/5).

B o c k, Hieronymus: Kreütterbuch . . . Straßburg, Rihel 1595.

B r e s l a u e r A r z n e i b u c h: Herausgegeben v. C. Külz u. E. Külz-
Trosse. Dresden, Marschner 1908.

B r u n f e l s, Otto: Contrafayt Kreüterbuch . . . Straßburg, Schott 1547.

B u r d a c h, Karl Friedr.: System der Arzneymittellehre. Leipzig,
Dyck 1807.

C a l p u r n i u s, T.: Bucolica, ed H. Schenkl. Leipzig, Freitag 1885.

C l a r u s, Julius: Handbuch der speziellen Arzneymittellehre. Leipzig,
Wigand 1860.

C o r d u s, Valerius: Historia plantarum. Argentorati, Rihelius 1561.

C o r d u s, Valerius: Das Dispensatorium . . . Faks. des im J. 1546
ersch. ersten Druckes . . . v. Winkler. Mittenwald, Nemeyer
1934.

C o r p u s G l o s s a r i o r u m L a t i n o r u m, Ed. Götz, Leipzig, Teubner 1892.

D i e r b a c h, J. H.: Die Arzneimittel des Hippokrates. Heidelberg,
Groos 1824.

D i o s k u r i d e s, Pedanios: De Materia Medica libri 5 ed. M. Well-
mann. Berlin, Weidmann 1906—1914.

D i o s k u r i d e s, Pedanios: De Materia Medica libri 5 [griech. u. lat.
m. Komm.] ed. . . . Kurt Sprengel. Leipzig 1829/30.

31

Dioskurides, Pedanios: [Materia Medica dtsch., unter dem Titel] Des Pedanios Dioskurides Arzneimittellehre . . . übers. u. erl. v. J. Berendes. Stuttgart Enke 1902.

Dragendorff, Georg: Die Heilpflanzen der verschiedenen Völker und Zeiten. Stuttgart 1898.

Eckstein, F., u. Flamm, S.: Die Kneipp-Kräuterkur. Bad Wörishofen, Gesundheitsverlag 1932.

Fischer-Benzon, R. v.: Altdeutsche Gartenflora. Kiel u. Leipzig, Lipsius u. Tischer 1894.

Flückiger, F. A.: Die Frankfurter Liste. Halle, Waisenhaus 1873.

Flückiger, F. A. u. Hanbury, D.: Pharmakographia. London, Macmillian u. Co. 1879.

Fraas, C.: Synopsis plantarum florae classicae. München, Fleischmann 1845.

Friedrichs, O. v.: Die Bestandteile der Altheewurzel. Arch. d. Pharm. 257 (1919).

Fuchs, Leonhart: New Kreüterbuch. Basel, Isingrin 1543.

Galenos: Opera Ommnia, ed C. G. Kühn. Leipzig 1821—1933.

Graßmann, Hermann: Deutsche Pflanzennamen. Stettin, R. Graßmann 1870.

Guigues: P.: Les noms arabes dans Serapion. Journ. asiat. tom. V. 1905.

Hegi, Gustav: Illustr. Flora v. Mitteleuropa. München, Lehmann 1906—1931.

Hildegard von Bingen: Opera . . . ed. Daremberg (Patrologia lat. Vol. 197). Paris 1882.

Hortus sanitatis, germanice Gart der Gesundheit. Mainz, Peter Schöffer 1485.

Ibn el Baithar: [Lib. magnae collectionis . . . simplicia medic. et ciborum continens, dtsch. u. d. Titel]. Große Zusammenstellung über die Kräfte der Heil- und Nahrungsmittel. Übers. v. Joseph v. Sontheimer. Stuttgart, Halberger 1840/2.

Isidorus von Sevilla: Etymologiae, ed. W. M. Lindsay. Oxford 1911.

Kommentar zum deutschen Arzneibuch (6. Ausg. 1926), hg. v. O. Anselmino u. J. Gilg. Berlin, Springer 1928.

Konrad von Megenberg: Das Buch der Natur, dtsch. v. Hugo Schulz. Greifswald, Abel 1897.

Kroeber, Ludwig: Das Neuzeitliche Kräuterbuch. Stuttgart-Leipzig, Hippokrates-Verlag 1935.

Leclerc, L.: Traité des simples par Ibn-el-Baithar. Paris, Imprimerie Nationale 1877.

32

L é m e r y, N.: Traité universel des drogues simples. Paris, Laurent d'Henry 1714.

L e n z, Harald, O.: Botanik der Griechen und Römer. Gotha, Thiemann 1859.

M a r c e l u s: Empiricus: De medicamentis liber, ed. Niedermann. Leipzig, Teubner 1916.

M a c e r, Floridus: De viribus herbarum, ed. L. Choulant. Leipzig, Voss 1832.

M a r z e l l, Heinrich: Neues illustriertes Kräuterbuch. Reutlingen, Enßlin & Laiblin, 3. Aufl. 1935.

M a r z e l l, Heinrich: Die deutschen Namen der einheimischen Heilpflanzen. Sonderdr. aus „Heil- und Gewürzpflanzen" XIII, 1. 1930.

M a r z e l l, Heinrich: Unsere Heilpflanzen. München, Lehmann 1922.

M a t t h ä u s Platearius: Circa instans (de simplici medicina) . . . nebst Serapion sen. Practica . . . Serapion jun. de simplici medicina . . . Platearius Practica . . . Venedig, per Locatellum 1497.

M a t t h a c u s Sylvaticus: Liber pandectarum medicine. Cöln, Lichtenstein o. J.

M a t t h i o l u s, Petrus Andreas: Kreutterbuch, ed. Joach. Camerarius. Frankfurt a. Main, Feyerabend 1596.

M e y e r - L ü b k e s, W.: Romanisch-Etymologisches Wörterbuch. Heidelberg, Winter 1911.

M u r r a y, Joh. Andr.: Apparatus Medicaminum. Göttingen, Dieterich 1784.

P e r e i r a, J.: Handbuch der Heilmittellehre, dtsch. v. R. Buchheim. Leipzig, Voss 1848.

P e r t z: Monumenta Germaniae historica, Bd. III. 1835

P l i n i u s Secundus, C. (major): Naturalis historiae libri 37, ed. C. Mayhoff. Leipzig, Teubner 1875—1906.

P l i n i u s Secundus, C (major): [Hist. nat. dtsch. u. d. Titel] Die Naturgeschichte von Plinius Secundus, übers. v. G. C. Wittstein. Leipzig, Gressner & Schramm 1881—82.

R e n z i Salvatore de: Collectio Salernitana. Neapel 1854—1859.

R e s a k, Cyrill: Odo Magdunensis, der Verfasser des „Macer Floridus" und der deutsche Leipziger Macer Text. In.-Diss. Leipzig 1917.

S c h r a d e r: Reallex. der Indogerm. Altertumskunde. 2. Aufl. hg. v. A. N e h r i n g. Berlin u. Leipzig, de Gruyter 1917—1923.

S c h r ö d e r, Johann: Allgemeiner Medicinisch-Chimischer Artzney-Schatz. Nürnberg, Stein & Raspe 1746—1748.

S c r i b o n i u s L a r g u s: Compositiones, ed. Georg Helmreich. Leipzig, Teubner 1887.

Simon von Genua (Januensis): Clavis sanationis. Venedig 1510.

Theophrastos Eresios: Opera, quae supersunt omnia, ed. F. Wimmer. Leipzig, Teubner 1866.

Theophrastos Eresios: Naturgeschichte der Gewächse, übers. u. erl. v. Kurt Sprengel. Altona, Hemmerich 1822.

Tschirch, A.: Handbuch der Pharmakognosie. Bd. I. 2. Aufl. 1930—32; Bd. II u. III. 1912—1925. Leipzig, Tauchnitz.

Virgilius Maro, P.: Opera, ed. Otto Ribbeck. Leipzig, Teubner 1914.

Vogt, Fr. Wilh.: Lehrbuch der Pharmakodynamik. Wien, C. Gerold 1832.

Wagler: „Althaia", in Pauly-Wissowa, Realencyklopädie der klassischen Altertumswissenschaft. Bd. 1. Stuttgart 1894.

34

Lebenslauf.

Ich, Werner R a t f i s c h, Sohn des Reichsbahnoberinspektors Gustav Ratfisch und seiner Ehefrau Dorothea geb. Schmüser bin am 3. Juni 1911 in Schwerin (Mecklbg.) geboren. Von Ostern 1917 bis Ostern 1920 war ich Schüler der damaligen Bürgerknabenschule zu Schwerin. Ab Ostern 1920 besuchte ich das dortige Gymnasium Fridericianum, wo ich am 2. März 1929 die Reifeprüfung ablegte.

Sodann widmete ich mich dem Studium der klassischen Philologie und verbrachte die ersten drei Semester in Heidelberg, das vierte und fünfte in München, das sechste in Rostock. Mit dem Sommersemester 1932 wandte ich mich dem Studium der Zahnheilkunde zu, deren vorklinische Ausbildung ich in Rostock erhielt und mit der zahnärztlichen Vorprüfung am 7. November 1933 beendete. Nach weiteren vier Semestern in Leipzig bestand ich am 2. Dezember 1935 die zahnärztliche Staatsprüfung. Seitdem bin ich als Vertreter und Assistent in Leipzig tätig.

Meine akademischen Lehrer in der Zahnheilkunde waren die Herren:

in Rostock: Elze, Füchtbauer, Hertwig, v. Krüger, Schlampp, Störmer, Wacholder, Walden;

in Leipzig: v. Brunn, Gerlach, Gros, Hauenstein, Hille, Hochrein, Jaeger, Jonas, Krauspe, Kühn, Langenbeck, Pfaff, Römer, Rosenthal, Scheer, Seitz, Sonntag, Spiethoff.

athery,

itribution à l'étude historique de la fièvre

phoïde et de son traitement.

CONTRIBUTION

A L'ÉTUDE HISTORIQUE

DE LA

FIÈVRE TYPHOÏDE

ET DE

SON TRAITEMENT

Travail lu à la Société médicale d'émulation de Paris

Dans la séance du 3 février 1877

Par le Docteur RATHERY

Membre de la Société.

—

EXTRAIT

De l'Union Médicale (3ᵉ série), année 1877.

—

CONTRIBUTION A L'ÉTUDE HISTORIQUE

LA FIÈVRE TYPHOÏDE

ET DE

SON TRAITEMENT

Messieurs,

L'épidémie de fièvre typhoïde que nous venons de traverser, si remarquable au moins quant à la proportion des individus atteints, sinon quant à la gravité des cas, a remis à l'ordre du jour toutes les questions relatives à cette redoutable pyrexie. Dans les journaux, dans les académies, dans les leçons cliniques, on a envisagé l'étude de cette maladie sous bien des faces diverses. Au sein même de notre Société, la fièvre typhoïde a donné lieu à de nombreuses et intéressantes communications. Il semblerait que le sujet fût épuisé, et qu'il y eût peut-être de la témérité de ma part à venir vous entretenir de nouveau de cette terrible affection. Toutefois, le point de vue spécial auquel je me suis placé me paraît avoir été fort négligé dans ces derniers temps, et c'est ce qui, j'espère, servira d'excuse aux quelques réflexions que je vais avoir l'honneur de vous présenter.

Les travaux des savants étrangers, en particulier ceux des médecins allemands et anglais, ont été presque toujours le point de départ des discussions récentes; vous connaissez le débat encore pendant sur la méthode de Brand par les bains froids. Au point de vue étiologique, les recherches si originales de Murchison et de William Budd, l'importance des déjections humaines comme véhicule, ou peut-être même

43

comme foyer de production directe de la fièvre typhoïde, les mesures prophylactiques qui en découlent, ont été, de la part de mon savant maître, M. Noël Gueneau
de Mussy, l'objet d'un travail aussi remarquable par la solidité du fond que par
l'élégance de la forme.

Les théories de Bulh, de Pettenkofer, etc., sur les variations de la nappe d'eau
souterraine dans leurs rapports avec l'apparition et la fréquence de la dothiénentérie, ont été analysées et discutées avec soin dans différents recueils périodiques, en
particulier dans plusieurs articles remarquables parus récemment dans la *Gazette
hebdomadaire*, et dus à la plume si autorisée de M. Vallin et de notre collègue
M. Lereboullet. A Dieu ne plaise que je méconnaisse l'importance et l'utilité de ces
travaux, trop peu connus chez nous et qui méritaient, à bon droit, d'être vulgarisés
par des hommes aussi compétents. Il est bien permis de dire cependant que beaucoup de points restent encore obscurs dans ces questions si difficiles et si complexes. Il faut se garder surtout de l'exclusivisme et de l'enthousiasme, bien excu-
sables chez les inventeurs de certaines de ces théories, mais qui pourraient, si l'on
n'y prenait garde, et bien à l'insu de ceux qui les adoptent, aller tout à fait contre
leur but. Le droit et le devoir du médecin sont de réclamer de toutes ses forces toutes
les mesures préventives qui lui paraissent capables d'atténuer sinon d'anéantir complétement l'influence désastreuse des maladies contagieuses et épidémiques ; mais,
pour qu'il ait chance de triompher dans la lutte qu'il a à soutenir, au nom de l'hy-
giène, contre les préjugés du vulgaire et les routines administratives, il faut qu'il ne
se montre pas trop exigeant, qu'il ne se hâte point surtout de tirer des conclusions
prématurées de vues fort ingénieuses sans doute, mais qui ont besoin du contrôle
du temps et de l'expérience avant d'être définitivement admises et de pouvoir devenir le point de départ de déductions pratiques à l'abri de toute controverse. Il
me semble qu'à l'étranger surtout, et à propos de l'étiologie de la fièvre typhoïde en
particulier, on n'a point su toujours se garantir avec assez de soin de cet excès
d'enthousiasme.

Pour ne vous en citer qu'un exemple, vous savez quelle importance on attache, en
Angleterre, à l'adultération du lait par l'eau. Vous connaissez quel fut le point de
départ de l'émotion causée à cet égard, non-seulement dans le monde médical, mais
dans la société de Londres. Plusieurs enfants, et entre autres plusieurs des enfants
du docteur Murchison, furent pris à la même époque de fièvre typhoïde dans l'un
des quartiers les plus riches de Londres. On fut amené à accuser le lait qui servait
à l'alimentation de ces enfants d'avoir été le point de départ de leur maladie. Une
enquête minutieuse montra, en effet, que le lait dont les malades avaient fait usage
provenait de chez un même laitier, et que ce laitier s'approvisionnait lui-même dans
une ferme où l'on avait l'habitude, qui n'est point exclusivement propre à l'Angleterre, de couper le lait avec une certaine quantité d'eau. Or, cette eau était plus ou

moins corrompue et, suivant les auteurs de cette théorie, capable de communiquer la fièvre typhoïde. On fut d'autant plus porté à admettre cette étiologie que, précisément, dans cette ferme, le fermier et son fils venaient d'être atteints de fièvre typhoïde. Le lait devint alors, on peut le dire, la bête noire des médecins anglais; on l'accusa de tous les méfaits. Le docteur Britton rapportait sérieusement, dans la *Lancette*, le fait suivant : Une vache avait été vue s'abreuvant dans une mare souillée par du purin ; un paysan avait pris du lait de cette vache pour le donner à son chat, et cet animal une fois rassasié, le paysan avait eu le malheur de boire le reste de ce lait. Peu de jours après, il était atteint de la fièvre typhoïde, et bientôt une épidémie se déclarait dans le village qu'il habitait.

Je ne veux point me faire ici l'avocat des laitiers de Londres, pas plus que je ne me ferais celui des laitiers de Paris. Je ne peux m'empêcher de remarquer toutefois, avec M. Arnould, l'auteur d'intéressants articles sur la fièvre typhoïde, parus en 1875 dans la *Gazette médicale*, et auquel j'emprunte ces détails, qu'en somme le fait de voir dans une ville les habitants d'un même quartier se fournir chez un même laitier n'a, après tout, rien que de fort naturel, et qu'une enquête conduite de la même manière aurait sans doute montré que beaucoup d'entre eux se fournissaient chez le même boucher, chez le même boulanger, voire même chez le même marchand de tabac ou chez le même cordonnier. Avant donc d'incriminer le lait, comme on aurait pu incriminer le pain, la viande, ou même le tabac et les chaussures, il aurait fallu être bien certain que ce groupe d'individus n'était point soumis à quelque autre influence générale, plus capable peut-être d'expliquer l'apparition de la maladie. Quant à l'histoire de la vache, du chat et du paysan, je déplore sans doute les goûts dépravés de la première, qui lui ont fait choisir une mare aussi infecte comme abreuvoir. Je condamne surtout la gourmandise du paysan ; elle lui a fait priver son chat d'une boisson qui probablement eût été beaucoup plus innocente chez cet animal que chez son maître ; mais je crois qu'à cet égard il ne faut pas pousser trop loin la délicatesse. Dans nos meilleurs restaurants, le repas le plus succulent perdrait, au moins je le crains fort, beaucoup de sa saveur, s'il nous était donné de pénétrer dans les coulisses de la cuisine ; je m'imagine de même que, si nous voyions comment se nourrissent et s'abreuvent un grand nombre des animaux qui servent à notre alimentation journalière, nous serions exposés à bien des désillusions, et que nous aurions plus d'une fois des spectacles analogues à celui de la vache s'abreuvant dans une mare pleine de purin.

Sans nier l'importance de ces données étiologiques, il est donc nécessaire, sous peine de tout compromettre, de se garder avec soin, dans ces recherches, de toute idée préconçue. D'ailleurs, il faut bien l'avouer, si ces études peuvent devenir la source de mesures prophylactiques utiles, les indications qu'elles peuvent fournir, au point de vue du traitement, sont encore bien restreintes, pour ne pas dire nulles.

2

Nous ne possédons, que je sache, aucun agent parasiticide capable de détruire directement dans l'organisme le germe de la fièvre typhoïde, si germe il y a. J'ai bien entendu parler des curieuses applications, de la vertu antiputride de l'acide salycilique au traitement de la dothiénentérie; mais c'est à peine si la voie est ouverte dans cette direction, et il s'écoulera sans doute un temps bien long encore avant que la thérapeutique puisse tirer profit, dans cette maladie, des données de la pathogénie.

Il en est tout autrement de la question de nature de la fièvre typhoïde. Celle-ci a une importance capitale, non-seulement au point de vue nosologique, mais encore au point de vue du traitement, car c'est elle qui a servi et qui sert encore de base aux différentes médications.

Dans nos livres classiques, la partie historique est en général fort écourtée. Les auteurs se bornent presque toujours à se copier servilement les uns les autres, sans même prendre toujours le soin de remonter aux sources originales. Pour la fièvre typhoïde, c'est à peine si dans les ouvrages d'ailleurs si recommandables de Grisolle, de MM. Hardy et Béhier, de M. Jaccoud, cette question est effleurée. Il en est de même à l'étranger.

Il est de bon goût aujourd'hui, de l'autre côté du Rhin, de faire table rase de presque toutes les recherches d'origine française. Peut-être ne saurions-nous trop le reprocher à nos voisins, nous pour qui les travaux des maitres allemands sont si longtemps restés dans un oubli regrettable. Peut-être même, avouons-le bien bas, cette négligence provenait-elle chez nous beaucoup plus de notre ignorance que d'un sentiment outré de patriotisme.

Il est bien permis, cependant, de s'étonner de voir, par exemple, M. Hébra, dans son *Traité des maladies de la peau*, passer presque complétement sous silence les travaux et jusqu'au nom de M. Bazin ; Niemeyer, dans son *Traité de l'auscultation*, reprocher à ses compatriotes leur peu d'indépendance scientifique, qui leur avait fait attacher de l'importance aux insignifiantes recherches de Laënnec ; enfin Griesinger, dans le long et minutieux chapitre qu'il consacre à la fièvre typhoïde, dans son ouvrage d'ailleurs si remarquable sur les maladies infectieuses, ne réserver qu'une place tout à fait accessoire aux travaux de l'école française (1).

Quoi qu'il en soit, cette négligence me parait fâcheuse. Outre qu'il est toujours

---

(1) Il est juste d'ajouter que ce mépris pour les travaux d'origine française n'est point partagé par les médecins anglais. Dans son *Traité des fièvres continues de la Grande-Bretagne*, le docteur Murchison, à propos de la fièvre typhoïde, et bien que souvent il adopte des opinions contraires à celles qui sont généralement admises dans notre pays, analyse avec le plus grand soin tous les travaux des auteurs français, auxquels il sait rendre à l'occasion pleine et entière justice. La question historique y est traitée d'une manière complète, et la lecture de cet ouvrage nous a été très-utile pour la rédaction de ce travail.

curieux de voir par quelles alternatives a passé une question de doctrine aussi importante que celle de la nature de la dothiénentérie, un grand nombre de théories, aujourd'hui abandonnées, ont été le point de départ de médications qui leur ont survécu. Il est donc important de les connaitre, alors même qu'elles ne répondent plus aux idées actuellement admises.

On peut établir, dans l'historique de la fièvre typhoïde, trois périodes distinctes : la première comprend tous les travaux des anciens auteurs; la seconde s'étend depuis le commencement de notre siècle jusqu'à l'apparition, en 1829, de la première édition du *Traité de la fièvre typhoïde* de Louis; la troisième, enfin, répond aux discussions auxquelles ont donné lieu les idées de Louis depuis cette époque jusqu'à nos jours.

Je ne m'étendrai pas longuement sur la première période de cet historique. On trouve, à cet égard, des renseignements fort étendus dans l'ouvrage de Forget, si riche en indications bibliographiques. Après cet auteur, Murchison est allé chercher jusque dans Hippocrate et dans Galien des descriptions qui lui paraissent se rapporter manifestement à la fièvre typhoïde. Pour ma part, je n'attache, je vous l'avoue, qu'une importance médiocre à ces trouvailles rétrospectives, où bien souvent ce n'est qu'en dénaturant plus ou moins les citations que l'on arrive à signaler des analogies souvent fort contestables.

M. Littré, dans l'article FIÈVRES du Dictionnaire en trente, cite le passage suivant emprunté à Willis; ce passage pourrait, d'après M. Littré, faire penser que cet auteur a observé les ulcères intestinaux de la fièvre typhoïde : « La dysenterie est fréquente dans les fièvres continues; le miasme, poussé vers les intestins, ouvre les embouchures des artères et produit de petits ulcères et des exsudations de la même façon que le sang fébrile, se tournant vers la peau, les pustules et les inflammations se manifestent à l'extérieur. » Sans doute il est curieux de voir Willis devancer ainsi de plus d'un siècle une opinion qui fut soutenue par Bretonneau et Trousseau, et comparer les lésions des follicules de l'intestin aux éruptions cutanées des fièvres exanthématiques, mais le passage cité me parait pouvoir se rapporter au moins aussi bien à la dysenterie qu'à la fièvre typhoïde.

Quant à Morgagni, toutes les bibliographies vous renvoient à la lettre XXX. Or, cette lettre qui porte pour titre : *De vomitu*, ne me parait rien contenir qui, de près ou de loin, ait rapport à la fièvre typhoïde. Bien plus, malgré mes recherches, je n'ai trouvé dans l'œuvre de Morgagni que deux passages qui, à la rigueur, pourraient être cités comme ayant trait à des lésions de l'intestin grêle, plus ou moins analogues à celles de la dothiénentérie.

On lit au par. 8 de la lettre XLIX : « Virgo annorum duodeviginti, multos jam dies laborans tertiana duplici, deinde ardenti febre correpta, capitis, et totius corporis dolore vexata, moritur. In ventre ad ilei intestini finem, quâ parte mesenterio annectitur, multa prominebant corpuscula, quæ magnitudine, forma, colore grana referebant pulveris pyrii. »

Dans la lettre LXVIII, on trouve la relation d'une autopsie où se rencontre cette mention : « Tenuia autem intestina per intervalla glandulas Peyeri habebant lupini figura et magnitudine. » Mais en se reportant à la description des symptômes observés pendant la vie, on constate que le malade, un jeune homme de 15 ans, présenta pendant la vie, en même temps qu'un affaiblissement graduel, des tumeurs glandulaires au cou, aux aisselles, au-dessus des clavicules, à la partie inférieure de l'abdomen. A l'autopsie, on trouva des tumeurs semblables au niveau du hile du foie, dans le mésentère, etc... Il est curieux de noter cette lésion des plaques de Peyer coïncidant avec des intumescences ganglionnaires multiples. S'agirait-il là d'un de ces faits de leucocythémie intestinale si bien étudiés par Béhier? Ce qui est certain, c'est qu'il ne s'agissait pas de fièvre typhoïde.

Le docteur Murchison rapporte un passage d'un médecin italien, Panarolus, qui, dans la relation d'une épidémie de fièvres graves ayant régné à Rome en 1694, dit, en parlant de l'ouverture des intestins, à l'autopsie : « Apparent tanquam exusta », et Murchison rappelle que souvent on a comparé les eschares des plaques de Peyer aux eschares superficielles résultant de l'application du cautère actuel sur une surface muqueuse; mais n'est-ce point là un rapprochement un peu forcé, et cette circonstance suffit-elle pour affirmer que le médecin romain avait sous les yeux de véritables fièvres typhoïdes?

On cite également Rœderer et Wagler comme ayant, dans la relation de la Maladie muqueuse observée à Gœttingue en 1760, donné une description très-exacte des lésions de la fièvre typhoïde. On invoque en particulier les passages suivants : « Intestina aere inflata, in universum turgidis cruore vasis picta, quibusdam in locis gangrenosa sunt... In fine ilei ad omnem superficiem valvulæ Bauhini, in toto canali appendicis vermiformis, in *cæco* et sub *ipsum coli dextri* initium, copiosissimi conspiciuntur folliculi coagmentati, in capitula non elevati sed simpliciter orificiis nigricantibus confertim congregatis distincti... licet sæpe in hoc morbo observati sint, ne semel tamen elevatos et materia mucosa obscurè cinerea refertos vidimus. (*De morbo mucoso*, p. 322-332.) »

Il est certain qu'au premier abord ces passages et quelques autres rappellent tout à fait les caractères de la fièvre typhoïde. Cependant, si l'on consulte les descriptions des symptômes et les observations citées à l'appui, on ne peut s'empêcher d'être frappé de la justesse des remarques suivantes que Murchison oppose à cette interprétation : La maladie décrite par Rœderer et Wagler se montra dans une garnison, pendant un siège, au milieu des privations résultant de l'encombrement et de la famine, c'est-à-dire dans des circonstances beaucoup plus propres à expliquer la genèse du typhus et de la dysenterie que celle de la fièvre typhoïde.

En fait, Rœderer et Wagler considèrent la maladie comme une forme dégénérée de la dysenterie dont la garnison avait souffert trois mois auparavant. Quoique les intestins fussent trouvés après la mort ulcérés et gangrénés, ces lésions siégeaient presque constamment dans le gros intestin. Sur 30 nécropsies, où les lésions sont décrites avec le plus grand soin, on ne trouve guère qu'un cas où les lesions siégeaient manifestement dans l'iléon.

Bien plus, dans les réflexions générales sur les lésions intestinales, on trouve cette phrase : « Tunica interna, licet inflammata tamen *continua* est, » assertion qui ne s'explique guère dans l'hypothèse d'ulcérations dues à la fièvre typhoïde.

Il faut se rappeler, enfin, qu'à côté de la fièvre typhoïde il existe un certain nombre d'états morbides qui, quoique en étant spécifiquement distincts, s'en rapprochent assez, au point de vue symptomatique, pour que pendant longtemps on les eût regardés comme des formes diverses d'une même entité morbide. Je veux parler du Typhus-fever, de la Fièvre à rechute (Relapsing-fever) et de la Typhoïde bilieuse. Plusieurs des descriptions données par les anciens auteurs semblent se rapporter peut-être plutôt à une de ces dernières affections qu'à la fièvre typhoïde elle-même. Ainsi le docteur Murchison pense que certaines variétés des fièvres décrites par Galien sous le nom de *hemitritæus*, et que l'on regardait comme dues à la transformation d'une fièvre intermittente tierce en fièvre quotidienne, n'étaient autres que la fièvre typhoïde. Si l'on remarque que ces fièvres sont désignées par Galien sous la dénomination de κολνδος πυρετος, on sera peut-être plus porté à les rapprocher de la typhoïde bilieuse. Il en est de même de certaines variétés décrites par Spigel sous le nom de *semitertiana*. Spigel parle, en effet, comme commune en Italie au commencement du xviie siècle, d'une pyrexie caractérisée par des douleurs abdominales, des vomissements bilieux, une diarrhée intense, et quelquefois mélanique, de l'assoupissement allant jusqu'à la léthargie, du délire, des rémissions irrégulières et souvent des rechutes. Cette description ne s'applique-t-elle pas à la Relapsing-fever plutôt qu'à la fièvre typhoïde elle-même?

Il existe encore une autre cause d'erreur. Dans les relations des épidémies de fièvres malignes que nous ont laissées les anciens auteurs, on est quelquefois frappé d'une sorte de confusion entre les manifestations dues à l'intoxication palustre et celles des maladies typhoïdes. Ainsi, s'il est un auteur qui, au siècle dernier, ait insisté sur l'influence de l'impaludisme, c'est à coup sûr Lancisi, dans l'histoire des épidémies dont il nous a laissé de si savantes descriptions. Eh bien, parmi les formes les plus graves qu'il considère comme le résultat des effluves maremmatiques, il cite, au premier rang, la fièvre des camps (typhus, fièvre pétéchiale, et peut-être même fièvre typhoïde). On en trouve la preuve dans l'assertion suivante placée en tête de l'un de ses ouvrages (1) : « Vitium noxiorum effluviorum, quæ ex inductis

(1) Lancisi. *De adventitiis Romani cæli qualitatibus* (2e paragraphe).

prope, vel intra urbem Romam, stagnis, paludibus, cœnosisque locis egrediuntur; illinc oriuntur febres plerumque castrenses. » Il semble même que, chez certains de ses malades, il ait existé, non-seulement des signes évidents de typhus pétéchial (Exanthemata modo purpurea, modo livida, efflorescunt in cute. Parotides interdum exuberant, interdum gangrænosi decubitus patefaciunt ») (1); mais même les lésions caractéristiques de la fièvre typhoïde : « Imo vero hic illic subnigras maculas exhibebant, dit-il en parlant des lésions intestinales, quorum in centris scissuras quasdam insculptas vidimus quas nemo nostrum propter lombricorum vicinitatem ambigere potuit, eorumdem esse vestigiæ morsuum, atque erosionum (2). »

Ces faits sont passibles, croyons-nous, de deux explications un peu différentes. Dans certains cas, où l'on voit ces épidémies de maladies typhoïdes éclater dans des conditions en apparence beaucoup plus propres à expliquer la genèse des fièvres intermittentes, ces conditions ne paraissaient avoir agi que d'une manière tout à fait indirecte. Ainsi, dans l'épidémie dont Fracastor nous a laissé le récit, et que l'on donne souvent comme la plus ancienne des descriptions qui rappellent les symptômes de la dothiénentérie, Fracastor attribue l'origine de l'épidémie aux inondations du Pô. Il est probable que les habitants de la campagne, forcés de fuir devant les progrès des inondations, s'étaient réfugiés dans les villes et les villages voisins, et avaient ainsi créé secondairement autant de foyers d'infection typhique, par suite des conditions d'encombrement, de famine, de misère, résultats habituels de ces grands fléaux. Mais il est d'autres circonstances où l'action de l'impaludisme sur la production de la fièvre typhoïde, quoique toujours indirecte, semble moins éloignée que dans les cas précédents.

On sait que, d'après la doctrine de Stich, des principes de fermentation putride existeraient, en tout état de cause, dans le corps humain. A l'état physiologique, par suite du fonctionnement régulier de la muqueuse intestinale, et par suite de leur élimination rapide, ces principes resteraient inertes; mais si, sous une influence quelconque, ces actes normaux de l'organisme venaient à être pervertis, ces principes fermentescibles seraient capables de révéler leur action, et de produire tous les signes de l'empoisonnement putride en donnant lieu aux symptômes de la fièvre typhoïde.

C'est précisément en troublant ces actes normaux de l'organisme que la fièvre intermittente semblerait pouvoir agir dans certaines circonstances. On trouve cités, dans l'ouvrage de M. Colin, des observations de fièvres pernicieuses survenues à Rome au milieu de l'endémo-épidémie palustre, et en l'absence de toute épidémie de

---

(1) Lancisi. *De noxiis paludum effluviis,* lib. II, op. V, cap. II.

(2) *Ibid.,* lib. II, op. I, cap. V et VI. — Nous n'avons pas besoin d'insister sur la singularité de cette explication. Quant à la fréquence des lombrics dans l'intestin des individus atteints de fièvre typhoïde, c'est un fait d'observation vulgaire.

fièvres typhoïdes, qui présentèrent, soit pendant la vie, soit après la mort, les caractères de la dothiénentérie (1).

Il me serait facile de multiplier ces exemples et de vous montrer que, parmi les textes cités comme ayant trait aux descriptions anatomiques de la fièvre typhoïde, il en est un grand nombre qui sont susceptibles d'une tout autre interprétation. Aussi bien, fût-il prouvé, ce que je ne nie point, ce que je crois même exact, que la fièvre typhoïde existait bien avant les travaux des cliniciens français, que ce fait ne diminuerait en rien l'importance et le mérite de leurs recherches. Pour se rendre compte de la différence radicale qui sépare les idées émises alors des vues généralement admises jusqu'à la fin du xviiie siècle, il faut se reporter au point où en était arrivée, à cette époque, la doctrine des pyrexies.

Malgré les innombrables travaux des nosologistes anciens et modernes, malgré les conceptions les plus brillantes, tour à tour soutenues et renversées par les pyrétologues les plus célèbres, on peut dire que, jusqu'au commencement de notre siècle, la plus grande obscurité n'a cessé de régner sur cette partie de la science.

Aux fièvres putrides et non putrides de l'antiquité s'ajoutèrent successivement une foule de subdivisions dont le nombre devint si grand, que, au xvie siècle, Paracelse distinguait déjà soixante espèces de fièvres.

Si l'on en excepte la classe des fièvres éruptives qui depuis longtemps était nettement caractérisée, grâce aux descriptions des arabistes d'abord, et, beaucoup plus tard, des grands épidémiographes des xviie et xviiie siècles, l'histoire des pyrexies

(1) On comprend, du reste, à fortiori, cette influence indirecte des émanations telluriques sur la production de la fièvre typhoïde, lorsque, dans un même milieu, se trouvent réunies les causes d'intoxication tellurique et celles des maladies typhoïdes (agglomération des individus, des déjections humaines, etc...). Ainsi s'expliqueraient certains faits, en apparence contraires à l'antagonisme si longtemps soutenu entre la malaria et la fièvre typhoïde. Telles sont, par exemple, ces associations curieuses de la fièvre typhoïde et des fièvres palustres désignées par les médecins du Midi sous le nom de fièvre de campagne, et si bien étudiées par notre collègue, M. Philippe, en 1869, au camp de Lannemezan. (Recueil de médecine, 3e série, t. XXII, 1869, p. 27.) Tels seraient encore peut-être certains exemples, cités par les médecins militaires, d'épidémies de fièvre typhoïde se développant dans des conditions en apparence beaucoup plus propres à expliquer la genèse de la fièvre intermittente. Je citerai, par exemple, des épidémies de fièvre typhoïde observées en Algérie dans des campements sous la tente, quelquefois même au milieu des solitudes du désert, et étudiées par M. Masse aux environs d'Aumale (Recueil de mémoires de méd. militaire, avril 1856), et par M. Frison (eod. loc., juin 1867); ou bien, encore, cette épidémie relatée par M. Arnould (Gazette méd., 1875), qui atteignit, pendant les grandes manœuvres de 1874, une partie des troupes qui bivouaquaient dans les plaines de l'Eure. Dans ce dernier cas surtout, on ne saurait, en raison des déplacements journaliers des troupes, admettre la production de foyers typhiques; et, d'autre part, on admettra toujours difficilement que deux maladies aussi distinctes que la fièvre intermittente et la fièvre typhoïde puissent avoir leur origine dans une cause spécifique unique. (Voyez, sur cette intéressante question des rapports de la fièvre typhoïde et de la fièvre pernicieuse : Colin, Traité des fièvres intermittentes. Paris, 1870, p. 276-289.)

resta, jusqu'au commencement du XIXᵉ siècle, dans le chaos le plus profond. Tissot et Stoll, en faisant jouer à la bile un rôle prépondérant dans la genèse des pyrexies, furent les derniers et les plus illustres représentants de la doctrine humorale. C'est à la combattre que s'appliquèrent, au contraire, Pinel d'abord, et bientôt Broussais.

Tous deux rejetèrent l'origine humorale des fièvres, et en cherchèrent la cause dans les lésions des solides du corps humain. Mais si le point de départ de leurs doctrines était le même, ils en tirèrent des déductions absolument opposées.

Pinel, dans sa nosographie philosophique, admet la pluralité des fièvres, en basant sa classification sur les dénominations des solides du corps humain. Il distingua six ordres de fièvres : les angioténiques, les méningo-gastriques, les adéno-méningées, les adynamiques, les fièvres ataxiques et les adéno-nerveuses.

Broussais, au contraire, prétendit que toutes ces maladies n'étaient, en réalité, que des symptômes d'une seule et même inflammation, la gastro-entérite.

Dès lors les médecins se partagèrent en deux camps : les uns arborant le drapeau des fièvres sans lésion locale, les autres niant les fièvres et leur substituant, avec Broussais, l'irritation locale de l'estomac et de l'intestin.

C'est au milieu de l'éclat et du bruit de cette célèbre dispute que les voix de savants plus modestes, mais qui puisaient leur conviction non dans des vues théoriques plus ou moins spécieuses, mais dans des investigations cliniques et anatomiques patientes, commencèrent à se faire entendre, timides d'abord, mais bientôt accueillies par les meilleurs esprits de l'époque.

Le premier auteur qui attribua un rôle prépondérant, sinon exclusif, à l'inflammation de l'intestin dans la genèse des pyrexies, fut un médecin français du nom de Prost. Dans un ouvrage intitulé : *La médecine éclairée par l'observation et l'ouverture des corps*, qui parut en 1804, Prost, s'appuyant non plus sur des idées préconçues, mais sur de nombreuses nécropsies, fit ressortir la fréquence des altérarations intestinales dans les pyrexies.

Quelques années plus tard, en 1813, parut le *Traité de la fièvre entéro-mésentérique* de Petit et Serres, où les lésions et les principaux symptômes de la fièvre typhoïde sont parfaitement décrits.

Toutefois, tout en faisant ressortir l'importance des lésions qu'ils rencontrèrent du côté de l'intestin, ces auteurs furent loin de les regarder comme constantes et même habituelles dans les pyrexies. Reculant devant les conséquences d'une telle généralisation, ils inclinèrent à penser qu'ils avaient découvert une maladie nouvelle et passagère, une affection *sui generis* distincte de toutes celles décrites jusqu'alors. Tel était l'état de la question, lorsque parut, en 1816, la première édition de l'*Examen des doctrines*. S'appuyant sur les recherches de Prost et de Petit et Serres, et les généralisant, Broussais plaça le point de départ de la fièvre dans une irritation de la muqueuse gastro-intestinale, aussi bien dans les pyrexies que dans toutes les autres maladies inflammatoires. Alors commença le rôle si brillant de la gastro-entérite, qui fut élevée un moment presque au rang d'un article de foi en médecine.

En 1826, M. Bouillaud publiait le *Traité des fièvres dites essentielles*, où l'irritation et l'inflammation jouaient encore le rôle prépondérant. La même année une réaction commence à se faire jour. Trousseau, résumant les résultats de l'enseignement de son maître Bretonneau, décrivit avec soin les lésions intestinales de la fièvre typhoïde, qu'il désigna sous le nom de dothiénentérite, et, plus tard, sous celui de dothiénentérie. Il montra les rapports de cette affection avec les fièvres éruptives, et proclama sa nature contagieuse qui, malgré les recherches de Leuret et de Gendron, fut loin d'abord d'être généralement admise, au moins parmi les médecins des grandes villes.

Grâce à ces travaux et à quelques autres, on voit que les esprits étaient dès lors bien préparés à la connaissance de la dothiénentérie à titre d'affection spécifique distincte. Toutefois il manquait encore, pour que cette vérité fût à l'abri de toute controverse, un travail dogmatique, dans lequel la maladie nouvelle fût étudiée d'une manière complète et sous toutes ses faces.

On trouve une marque évidente de cette période de transition dans l'énoncé des questions suivantes mises au concours par la Société de médecine pratique, en 1825 : *Existe-t-il toujours des traces d'inflammation dans les viscères abdominaux après les fièvres putride et maligne? Cette complication est-elle cause, effet ou complication de la fièvre?*

Les deux mémoires couronnés ont été imprimés : l'un est dû à Gibert, l'autre à l'un des anciens membres de notre Société, Félix Vacquié. J'ai eu la curiosité de parcourir ces mémoires. Bien que les auteurs répondent tous deux par la négative à la première des questions qui leur étaient posées, on voit avec quelle timidité ils arrivent à cette conclusion, et quelles précautions ils prennent pour aller à l'encontre des idées généralement admises à cette époque.

Enfin, en 1829, parut la première édition du *Traité de la fièvre typhoïde*, où Louis, avec une rigueur d'observation qui peut servir de modèle, établit définitivement l'existence d'une entité morbide parfaitement définie, caractérisée anatomiquement par l'ulcération des plaques de Peyer, pour laquelle il adopta la dénomination de fièvre typhoïde, et qu'il distingue avec soin de l'entérite simple.

L'ouvrage de Louis marque une ère nouvelle dans l'histoire de la fièvre typhoïde. La place de cette maladie dans les cadres nosologiques fut dès lors nettement marquée; toutefois, l'importance des lésions anatomiques de l'intestin fut loin d'être comprise par tous de la même manière. Laissant de côté l'ordre purement chronologique, je grouperai sous quelques chefs principaux les principales opinions qui, depuis l'œuvre capitale de Louis, ont été émises sur la nature de la fièvre typhoïde.

Tout d'abord, l'idée fondamentale de Louis, qui faisait de la fièvre typhoïde une maladie unique représentant toutes les pyrexies de Pinel, ne fut point acceptée sans réserve. Chomel proclama hautement cette unité des fièvres. Voici comment il s'exprimait à cet égard au début de ses leçons sur la fièvre typhoïde, publiées en 1834 :

« Les maladies décrites par les auteurs, celles dont nous avons nous-même tracé l'histoire dans notre *Traité des fièvres*, sous le nom de fièvres continues graves, quelle que soit la forme sous laquelle elles se montrent, inflammatoire, bilieuse, muqueuse, adynamique, ataxique, lente, nerveuse, ne sont toutes que des variétés d'une même affection qui a reçu diverses dénominations ; nous la désignerons préférablement par le nom de fièvre ou maladie typhoïde, à raison de l'analogie qu'elle offre, dans ses symptômes, avec le typhus des camps. Les fièvres inflammatoires, bilieuses, muqueuses, adynamiques, ne sont donc que des variétés de la même maladie. . . . . L'affection typhoïde occupera donc, en nosologie, un rang d'une grande importance, puisqu'elle remplacera presqu'à elle seule une classe entière de maladies.

La même année (1834) Andral publiait la troisième édition de sa *Clinique médicale*. Tout en reconnaissant l'importance des travaux de Louis, et en proclamant que l'entérite folliculeuse se rencontrait très-fréquemment dans les fièvres, il se refusait à admettre que toutes les fièvres pussent s'expliquer par elle. Il admettait au contraire que certaines formes malignes et adynamiques des pyrexies pouvaient se développer en dehors de toute lésion intestinale. On trouve, du reste, la trace des incertitudes qui agitaient alors les meilleurs esprits dans les opinions successivement émises sur cette question, par Andral, aux différentes phases de sa vie scientifique. Tandis que, fidèle à la tradition des anciens, il consacre, dans la première édition de sa *Clinique médicale* (1823), une place à part à la classe des fièvres essentielles, en 1829, dans la seconde édition du même ouvrage, sous l'influence des doctrines régnantes, et en particulier de celles de l'école physiologiste, il renonce à cette division et traite des fièvres, d'une part, dans les maladies des organes abdominaux, et, d'autre part, dans les maladies du système nerveux. Plus tard encore, en 1840, dans son *Traité d'hématologie*, il revient à la notion exacte des pyrexies, en montrant la différence capitale qui sépare celles-ci des véritables phlegmasies au point de vue de la composition du liquide sanguin, l'excès de fibrine appartenant aux premières, tandis que, au contraire, la diminution de la fibrine est un caractère, sinon constant, du moins habituel dans les pyrexies graves (1).

_____

(1) Depuis ma communication à la Société médicale d'émulation a paru l'intéressant travail de M. Chauffard sur Andral. Nous ne saurions mieux faire que de renvoyer le lecteur à

Il est également intéressant de comparer les idées successivement émises sur cette question par Cruveilhier. Vers 1830, le savant auteur de l'*Anatomie patholo-gique du corps humain* (1) accepte, presque sans réserve, les opinions de Bretonneau, de Trousseau et de Louis sur la fréquence des lésions intestinales dans la dothié-nentérie. « L'entérite folliculeuse, dit-il, nous paraît être le point de départ d'un très-grand nombre de fièvres essentielles. » Bien plus, évoquant ses souvenirs d'élève, il ajoute en note : « C'était une tradition à l'Hôtel-Dieu, depuis longues années, que les lésions anatomiques qui accompagnaient les fièvres graves, et les élèves internes du même temps que moi (1811-1815) diagnostiquaient, aussi sûre-ment qu'on peut le faire maintenant, le siége et les caractères anatomiques de l'alté-ration. Plusieurs de mes camarades d'étude doivent se rappeler que, fatigués des, dénominations si vagues de fièvres inflammatoire, bilieuse, muqueuse, adynamique, ataxique, voyant la même fièvre revêtir tour à tour ces divers caractères, sur lesquels on s'entendait bien rarement, nous avions pris le parti de les appeler des fièvres intestinales. »

Si l'on se reporte cependant quelques années en arrière, à l'époque où l'école de Broussais était toute-puissante, le langage du jeune médecin est loin de res-sembler à celui du futur professeur. Si l'on ouvre, en effet, l'*Essai sur l'anatomie pathologique* (2), qui date de 1816, l'année même où parut la première édi-tion de l'*Examen des doctrines*, on sent, dès la préface, l'influence de l'école phy-siologique : « Toutes les fois que nous voyons de la fièvre, dit Cruveilhier (Préface, page 17), cherchons l'organe malade; si nous n'en trouvons pas, à la bonne heure ; accusons une fièvre essentielle ; mais n'oublions jamais qu'il est une multitude de phlegmasies latentes......; que les fièvres symptomatiques revêtent tous les carac-tères des fièvres essentielles, inflammatoires, bilieuses, adynamiques, ataxiques; en sorte que, à une certaine époque, faisant abstraction de la phlegmasie, on pourrait aisément s'y méprendre, et nous serons infailliblement conduits à cette vérité capi-tale que M. Broussais a, le premier, établie, qu'on n'aurait jamais soupçonnée sans l'anatomie pathologique, qui paraîtra un paradoxe à un grand nombre de méde-cins, mais qui devient tous les jours pour moi plus évidente : *Il existe beau-coup moins de fièvres essentielles qu'on ne le croit communément.* » Plus loin, dans le chapitre consacré aux fièvres, tout en rendant justice aux travaux de Petit et de

cette savante étude critique. Nulle part, on ne trouve mieux exposé le rôle d'Andral et de l'École éclectique dans la difficile question des pyrexies, en opposition avec les doctrines intolérantes de Broussais et des localisateurs. (Voy. Andral. *La médecine française de* 1820 à 1830, par E. Chauffard. Paris, J.-B. Baillière, 1877.)

(1) *Ann. path. du corps humain*, 1829-1835, VIIᵉ livraison.

(2) *Essai sur l'anatomie pathologique en général et sur les transformations des produc-tions organiques en particulier*, par Jean Cruveilhier. Paris, 1816.

Serres sur la fièvre entéro-mésentérique, Cruveilhier hésite à se prononcer sur la valeur et l'importance de ces lésions de l'intestin grêle dans les pyrexies. « Je ne discuterai point ici si cette altération organique est la maladie principale, comme le pensent les auteurs, ou une complication, ou bien l'effet de la fièvre; j'observerai seulement qu'on la trouve dans plusieurs autres maladies, la phthisie pulmonaire surtout, et à la suite d'un grand nombre de fièvres adynamiques et ataxiques essentielles, ce qui, joint à d'autres données, semblerait indiquer que cette éruption muqueuse est quelquefois analogue à d'autres éruptions cutanées, et que, si elle prend le caractère ulcéreux, cela est dû au passage continuel des matières irritantes. »

— Vers la même époque, d'autres auteurs faisaient jouer un rôle encore plus accessoire aux lésions intestinales. Telle était, par exemple, l'opinion de M. Piorry, qui, revenant à une idée déjà antérieurement émise par Bordeu, voyait dans la fièvre typhoïde autant d'états morbides que d'organes lésés, chacun d'eux pouvant devenir la source d'indications thérapeutiques distinctes.

Aujourd'hui il paraît définitivement prouvé que presque toutes les fièvres malignes de nos pays (en exceptant, bien entendu, les fièvres éruptives et les fièvres palustres) sont représentées par une seule maladie : la fièvre typhoïde. Cette vérité est hors de toute discussion; mais en est-il de même pour les cas légers? Ici, en raison même de la rareté des autopsies, il est difficile de donner une réponse aussi péremptoire. Peut-être faut-il conserver encore, à l'exemple d'un certain nombre d'auteurs, certaines fébricules, la fièvre éphémère, la fièvre synoque, l'embarras gastrique fébrile, à titre d'entités morbides distinctes. Un grand nombre de ces états fébriles de courte durée semblent souvent répondre à l'existence de quelque pseudo-exanthème, et, en particulier, à la fièvre herpétique si bien étudiée dans ces derniers temps par M. Parrot. Mais il est démontré, d'autre part, qu'à côté des formes graves de la maladie, la fièvre typhoïde peut présenter des formes atténuées beaucoup plus légères. Ce sont ces formes que les Allemands ont étudiées sous le nom de *typhus ambulatorius*, et que notre collègue, M. Perrin, désignait, dans la dernière séance, sous l'heureuse expression de *forme négative*. Ces cas ont été assez fréquents dans la dernière épidémie. M. Besnier nous en rapportait l'autre jour un intéressant exemple. Je me rappelle en avoir vu, pour ma part, plusieurs cas. L'un d'eux m'a vivement frappé. Il s'agissait d'un malade présentant un ensemble de symptômes assez mal définis du côté des voies digestives et respiratoires. Tout d'abord on aurait pu penser à l'invasion d'une maladie catarrhale, de la grippe par exemple; mais l'apparition de deux ou trois taches rosées lenticulaires ne permettait point d'hésiter sur le diagnostic. Chose curieuse, ce malade avait présenté, plusieurs années auparavant, une première atteinte très-grave de fièvre typhoïde.

A propos de ce malade, qui était couché dans son service, M. Gueneau de Mussy nous rappelait que Chomel, dans son enseignement oral, insistait sur la fréquence de ces formes abortives dans les cas de récidives. Il serait curieux, dans ces faits dont nous entretenait l'autre jour M. Perrin, où, dans un groupe d'individus soumis aux mêmes influences, dans une même famille, dans une même maison, à côté de cas graves et parfaitement caractérisés, on constate chez quelques individus des formes incomplètes et mal dessinées, de rechercher si ces derniers n'avaient point déjà antérieurement été atteints de la maladie. S'il en était ainsi, ces exemples pourraient peut-être s'expliquer assez facilement. Il semblerait que l'organisme, ayant déjà subi l'influence du poison, aurait une moins grande disposition à en ressentir de nouveau les effets, ou du moins que ces effets seraient atténués. Il arriverait là ce qui arrive dans la variole, où presque toujours, dans les cas de récidive, on observe la varioloïde, qui n'est qu'une variole modifiée.

Parmi les auteurs qui admirent comme démontrée la constance des lésions intestinales dans la fièvre typhoïde, le rapport existant entre ces lésions et les symptômes fut loin d'être compris de la même manière. Les uns regardaient la lésion intestinale comme primitive, les autres comme consécutive. Les premiers eurent, pour plus illustres représentants, Broussais, et, plus tard, M. Bouillaud.

Louis n'eut pas de peine à prouver combien inconstantes et accessoires étaient les lésions de l'estomac dans la fièvre typhoïde. Mais les lésions intestinales une fois admises comme très-fréquentes dans les pyrexies, on voulut n'y voir que des lésions inflammatoires agissant au même titre que la phlegmasie du poumon dans la pneumonie. Dès lors, ce sont elles qu'on regarda comme le point de départ de tous les accidents. En vain objectait-on que la lésion des plaques de Peyer était souvent isolée et indépendante de toute inflammation de la muqueuse avoisinante ; à cela on répondait que le siége d'une lésion ne suffisait point pour en faire rejeter le caractère inflammatoire, et que, de même que l'on pouvait trouver des inflammations localisées à certaines portions de l'estomac et du duodénum, de même on pouvait concevoir une inflammation localisée à la dernière portion de l'intestin grêle; que d'ailleurs il était fréquent, ce qui est vrai, de constater à côté des lésions des plaques de Peyer une injection et une rougeur plus ou moins étendues de la muqueuse avoisinante; qu'enfin la prédominance de l'inflammation dans la dernière portion de l'iléon pouvait s'expliquer par le séjour plus prolongé, et peut-être par la nature plus irritante des matériaux de la digestion à ce niveau. En vain Louis et Chomel faisaient-ils remarquer que la gravité des symptômes observés pendant la vie étaient loin d'être dans un rapport constant avec le nombre et l'étendue des ulcérations. La même chose, répondait-on, n'arrive-t-elle point dans les phlegmasies les plus franches, et la gravité d'une pneumonie est-elle toujours en rapport avec l'étendue de l'hépatisation?

Une objection plus sérieuse à la nature inflammatoire de la fièvre typhoïde était l'existence de certains symptômes. A l'exception de la diarrhée, de la douleur abdominale et du gargouillement qui peuvent être regardés, à la rigueur, comme liés directement à la présence des altérations intestinales (1), il est tout un ordre de symptômes qui, comme la céphalalgie, la stupeur, le délire, ne sauraient être rattachés à la souffrance locale de l'intestin. Les partisans de la non-essentialité des pyrexies ne se laissaient point arrêter par ces objections. La sympathie servait à expliquer tous ces symptômes qui, d'ailleurs, peuvent se montrer dans les phlegmasies les plus franches. Quoi de plus fréquent, disait-on, que les symptômes d'adynamie, le délire, la stupeur, dans la pneumonie et l'érysipèle ? M. Bouillaud, pour répondre à cette objection, avait fini par admettre deux périodes distinctes dans la fièvre typhoïde ; une première période purement locale, dans laquelle il y avait inflammation et fréquemment ulcération des plaques de Peyer, et une seconde période pendant laquelle il se produisait une résorption putride, une sorte de septicémie secondaire au niveau des surfaces ulcérées.

Malheureusement pour cette explication, il est très-fréquent de voir les signes d'adynamie, le délire, la stupeur, se montrer d'emblée, empoisonner les malades dès les premiers jours, sans avoir été précédés par aucune phase symptomatique en rapport avec l'existence d'une phlegmasie franche.

En résumé, la doctrine de la nature phlegmasique de la fièvre typhoïde fut définitivement renversée par les deux objections suivantes, qui sont capitales, et auxquelles on ne saurait rien objecter :

1º En supposant même que la nature inflammatoire des lésions intestinales fût prouvée, la fièvre et les phénomènes généraux de la fièvre typhoïde précèdent dans leur ordre d'apparition la production de ces lésions.

2º Les lésions des plaques de Peyer peuvent sans doute s'accompagner d'un travail phlegmasique de voisinage, mais la lésion primitive n'est point de nature phlegmasique. Les travaux de His, de Virchow, ne laissent plus aujourd'hui aucun doute à cet égard. Ils ont prouvé que l'infiltration par les cellules lymphoïdes était le point de départ des principales lésions de la fièvre typhoïde, non-seulement dans les plaques de Peyer, mais encore dans presque tous les organes qui, comme la rate, le foie, les ganglions lymphatiques, concourent à la fonction hématopoiétique.

Quelques médecins, frappés de l'existence très-fréquente des troubles nerveux et

(1) On sait que, sous le règne de la gastrite, l'Ecole du Val-de-Grâce ne voyait aussi, dans les lésions de la cavité buccale, que le résultat des lésions concomitantes de l'estomac, la muqueuse stomacale n'étant que le prolongement de la muqueuse de l'estomac. A Andral revint l'honneur de démontrer que les troubles de la muqueuse buccale, de la langue en particulier, relevaient, dans les pyrexies, beaucoup plutôt de l'état général que d'une cause locale, et que nulle part, moins que dans les fièvres, il n'était exact de regarder la bouche comme le miroir de l'estomac.

de leur apparition précoce, ont placé le point de départ de la maladie dans une lésion primitive des centres nerveux. Cette théorie tombe devant ce fait que, dans la plupart des cas, on ne rencontre aucune lésion caractéristique du côté du système nerveux. Invoquer alors une lésion purement fonctionnelle, c'est admettre une pure hypothèse que rien ne saurait confirmer.

Les travaux d'Andral et de Gavarret ont ouvert la voie aux recherches hématologiques qui, nulle part peut-être plus que dans les pyrexies, n'ont donné la clef d'un plus grand nombre de symptômes. La diminution de la fibrine dans ces affections les sépare nettement des véritables phlegmasies. Toutefois, puisque, dit Andral lui-même, cette diminution de la fibrine n'existe nécessairement dans aucune pyrexie, il est bien clair que ce n'est, point dans cette altération du sang qu'il faut chercher le point de départ de cet ordre de maladies. » Il n'en paraît pas moins démontré que si cette altération du sang n'est, comme les lésions de l'intestin, qu'une conséquence de l'intoxication, elle en est néanmoins un des premiers effets, et elle peut, à son tour, être le point de départ de bien d'autres accidents. On doit donc en tenir un grand compte pour le traitement.

En 1837, un médecin de l'hôpital Necker, Delarroque, reprenant la doctrine de Stoll sur le rôle de la bile, chercha l'origine de tous les accidents dans un état saburral des premières voies, dans une excrétion exagérée d'une bile acrimonieuse, altérant la muqueuse dans les points où elle n'est pas protégée par des mucosités. Consécutivement il pourrait y avoir altération putride du sang par ces produits résorbés. Mais il existe d'autres maladies dans lesquelles les matières contenues dans l'intestin peuvent présenter les phénomènes de la décomposition putride, et dans lesquelles on n'observe néanmoins aucun des signes de la fièvre typhoïde.

Magendie et Gaspard, en injectant directement des matières putrides dans les veines de certains animaux, ont bien pu produire des lésions intestinales plus ou moins banales, mais ils n'ont produit aucune des lésions, et surtout aucun des symptômes de la fièvre typhoïde.

D'ailleurs, pour que cette théorie pût être admise, il faudrait prouver :

1º Que les troubles intestinaux sont toujours les premiers en date;

2º Qu'il y a, dans tous les cas de fièvre typhoïde, accumulation de la bile dans l'intestin grêle;

3º Enfin, que la bile possède des qualités irritantes.

Or, aucune de ces propositions n'est acceptable.

Cette théorie n'en a pas moins été adoptée, avec quelques modifications, par des médecins éminents, à la tête desquels il faut placer Beau, et elle a été l'origine de la médication purgative dans la dothiénentérie.

Nous arrivons enfin à la doctrine qui est aujourd'hui généralement admise et qui voit dans les fièvres typhoïdes une maladie générale, *totius substantiæ*, comme disaient les anciens, dans laquelle la lésion intestinale n'est qu'un effet de la maladie, bien que, par sa constance, elle puisse être regardée comme la caractéristique anatomique.

Nous avons vu que déjà quelques auteurs avaient été frappés de la ressemblance des lésions des glandes de l'intestin grêle avec les pustules de la variole. Bretonneau et Trousseau s'emparèrent de cette idée et, par suite de cette analogie, ils désignèrent la maladie sous le nom de dothiénentérie (de *δοθιην*, bouton, pustule, et *εντερον*, intestin).

Toutefois, ce n'est là qu'une ressemblance tout à fait grossière, et, s'il est un signe de la fièvre typhoïde comparable à l'exanthème des fièvres éruptives, c'est beaucoup plutôt l'éruption cutanée, connue sous le nom de taches rosées-lenticulaires.

Il n'en est pas moins vrai qu'à Bretonneau et à Trousseau revient l'honneur d'avoir insisté sur les nombreuses analogies existant entre la fièvre typhoïde et les fièvres éruptives. Leurs idées peuvent se résumer dans les quatre propositions suivantes :

1º La fièvre typhoïde sévit de préférence à une certaine époque de la vie ;

2º Peu d'individus y échappent ; elle n'attaque l'homme qu'une fois dans la vie ;

3º Elle se transmet par contagion ;

4º Les lésions spécifiques caractéristiques de la maladie ne manquent presque jamais.

La non inoculabilité de la maladie ne saurait être une objection sérieuse à cette assimilation des fièvres typhoïdes aux fièvres éruptives, puisque certaines maladies éruptives n'ont pu jusqu'ici être inoculées.

Mais une donnée beaucoup plus discutable est l'argument relatif à la contagion. Niée d'abord par presque tous les auteurs, celle-ci, aujourd'hui encore, n'est point regardée comme le seul mode de production de la maladie. Certaines influences extérieures, surtout les émanations putrides, sont capables à elles seules, pour un grand nombre d'auteurs, de donner naissance de toutes pièces à la maladie. Peut-être même, comme le pense M. Jaccoud, à côté de l'origine extrinsèque de la maladie et de l'origine contagieuse, le poison peut-il naître primitivement dans l'organisme sous l'influence de certaines circonstances mauvaises. Mais je n'ai point l'intention d'entrer ici dans l'examen des questions relatives à l'étiologie de la fièvre typhoïde, non plus que de passer en revue les travaux si intéressants, mais encore si discutables, qui voient, dans la présence d'un organisme animal ou végétal au sein de l'économie, la cause première de la maladie.

Tant qu'on a vu dans les lésions intestinales le point de départ de la maladie, les médecins ont pu, suivant les théories qu'ils adoptaient, accepter avec enthousiasme ou rejeter avec dédain tel ou tel mode de traitement, quelques-uns même élever la prétention de *juguler* la maladie et d'en enrayer, dès le début, les manifestations ultérieures ; mais, dès qu'il a été prouvé que la lésion intestinale n'était qu'un des résultats de l'empoisonnement, ce n'est plus contre elle qu'ont été dirigés les efforts de la thérapeutique. La fièvre typhoïde a été assimilée alors à la variole, présentant comme elle une marche pour ainsi dire régulière et fatale ; de là, dans les cas légers, la possibilité de se borner, comme pour les fièvres éruptives, à une surveillance attentive, et de se tenir en garde contre toute médication perturbatrice ; dans les cas graves, au contraire, l'indication capitale de soutenir les forces des malades, pour leur permettre de traverser sans encombre toutes les phases de la maladie. Ce n'est certes point sans lutte et sans de nombreux tâtonnements que l'on est arrivé à cette conclusion. Toutefois, il est remarquable que les premiers auteurs qui aient donné une description de la maladie, Petit et Serres, avaient déjà parfaitement saisi cette indication. Il est curieux, à cet égard, de lire l'Introduction de Petit. Cet auteur est frappé de ce fait que, dans la fièvre typhoïde, le principe de la vie était directement et profondément affecté, et que c'était de cet état général du système que naissait le danger le plus immédiat de la maladie et l'indication prépondérante du traitement. C'est pourquoi il recommande avant tout l'emploi des toniques : le quinquina en teinture vineuse, la liqueur d'Hoffmann, d'alcool ou d'acétate d'ammoniaque ; les potions aromatiques éthérées et fortifiées d'extrait de quina, les frictions avec l'alcool. N'est-ce point là la méthode et presque jusqu'aux formules suivies le plus ordinairement de nos jours ?

Ce mode de traitement n'était pas, comme on pourrait le croire, de la part des auteurs du *Traité de la fièvre entéro-mésentérique*, l'effet d'un pur hasard ou d'une sorte d'heureuse intuition. Elle reposait, au contraire, sur une connaissance approfondie de la marche et de l'évolution du processus morbide. On est dans l'habitude d'opposer à la division classique de la fièvre typhoïde en septénaires, la division des auteurs allemands en deux périodes distinctes, période d'infection et de réparation. Partout, aussi bien dans les ouvrages français que dans les ouvrages allemands, on attribue à Hamerynk l'honneur d'avoir, le premier, indiqué cette division. On la trouve cependant parfaitement signalée dans le livre de Petit et Serres. Permettez-moi de vous citer le passage suivant, qui me semble ne laisser aucun doute à cet égard :

« En réfléchissant, dit Petit dans une note de l'Introduction, sur ce qui se passe lorsque la maladie a une heureuse issue, j'ai conjecturé que la cause quelconque qui agit sur l'intestin et le mésentère n'a qu'une certaine durée d'activité, après laquelle elle devient inerte, semblable en cela au virus variolique, à celui de la rougeole ; que si le principe de la vie, soit par sa propre énergie, soit par l'impulsion qu'il reçoit d'un traitement convenable, résiste assez longtemps à son influence pour que la période de son activité s'accomplisse, la lésion organique, devenue alors purement passive, peut être réparée par les seules forces de la nature. Cette hypothèse m'a paru expliquer également les phénomènes de la maladie, ceux de la convalescence, et le succès de la méthode curative que j'ai adoptée. »

N'est-il point remarquable de voir si nettement précisées, dès cette époque, et la nature de la maladie et les indications thérapeutiques qui en découlent? Et, tout en rendant justice à l'éclat de l'école de Broussais et de ses adeptes, n'est-il point permis de déplorer les erreurs thérapeutiques auxquelles elle a pu entraîner les hommes les plus éminents? Nous ne voyons presque plus personne saigner dans la fièvre typhoïde; presque tous les médecins, au contraire, sont revenus, au moins dans les cas de moyenne intensité, à la médication si nettement formulée par Petit en 1816. Ouvrons, par exemple, le livre classique de M. Jaccoud, et nous verrons qu'il conseille, comme traitement habituel, les toniques et les stimulants : bouillon de bœuf, vin de Bordeaux, extrait de quinquina, alcool, etc. Nous voilà bien loin de ceux qui, comme M. Bouillaud, ne voyaient dans la maladie qu'une inflammation interne de la muqueuse intestinale. « Par la pensée, disait M. Bouillaud en 1827, dans son *Traité des fièvres dites essentielles*, retournons pour ainsi dire le corps vivant, et supposons que la membrane muqueuse malade, au lieu de former une portion de son enveloppe interne, en constitue l'enveloppe extérieure. N'est-il pas évident que, par cette sorte d'artifice, nous nous plaçons précisément dans les mêmes circonstances où nous étions dans l'article précédent (il s'agissait, dans cet article, du traitement de la fièvre putride ou adynamique consécutive à certaines phlegmasies extérieures), et que nous avons transformé une fièvre putride médicale, ou produite par une phlegmasie interne, en une fièvre putride chirurgicale, c'est-à-dire occasionnée par une inflammation externe? N'est-il pas évident, par conséquent, que le traitement qui convient dans un cas est également applicable à l'autre, sauf les modifications que réclame la différence de position et d'organisation des parties malades? » Il est aisé de prévoir à quelles conséquences de telles idées devaient conduire, dans sa pratique, l'illustre médecin de la Charité. S'il admet, dans certains cas, comme utile l'administration des préparations de quinquina, ce n'est qu'alors que l'irritation aura été préalablement combattue avec une énergie convenable.

« Quant aux médicaments excitants et stimulants proprement dits, ils méritent, ajoute-t-il, sous tous les rapports, la juste proscription à laquelle le fondateur de la nouvelle doctrine pyrétologique les a pour jamais condamnés. Quel médecin serait assez audacieux ou plutôt assez imprudent pour appliquer sur une membrane profondément enflammée des substances brûlantes et plus ou moins incendiaires, telles que les médicaments alcooliques, éthérés, les vins les plus généreux, le camphre, etc.? » Aussi, dans sa *Clinique médicale*, le régime antiphlogistique, les saignées sont-elles indiquées comme le mode habituel de traitement; il proportionne seulement leur abondance à la gravité de la maladie, et il arrive à ce résultat, que

50 malades traités par lui de cette manière ont consommé 471 palettes ou 108 livres de sang, c'est-à-dire en moyenne, pour chaque malade, 9 palettes ou 2 livres 4/25 de sang.

Je m'arrête, Messieurs, en m'excusant de cette excursion rétrospective, un peu trop prolongée peut-être. Je n'ai certes pas la prétention de vous avoir exposé aucune considération nouvelle et originale ; mon but, beaucoup plus modeste, a été, tout au contraire, de vous communiquer les impressions qui sont résultées pour moi de la lecture attentive d'ouvrages déjà anciens et quelque peu délaissés. Après avoir été presque complétement négligés, les travaux étrangers attirent aujourd'hui, à bon droit, l'attention de tous les observateurs. Peut-être, dans cette réaction, à laquelle on ne saurait trop applaudir, a-t-on quelque peu dépassé le but. C'est là une tendance propre à notre pays, et que l'on retrouve en médecine comme en toutes choses. A ce titre, j'ai pensé qu'il pouvait y avoir quelque utilité à ramener de temps en temps notre esprit vers un passé déjà un peu trop oublié. Tout en profitant des données nouvelles que la science moderne nous fournit, grâce aux moyens perfectionnés d'exploration dont elle dispose, sachons donc ne pas méconnaître l'importance et la valeur des travaux de nos devanciers. A propos de la fièvre typhoïde en particulier, poursuivons avec patience les recherches qui, dans un avenir plus ou moins éloigné, pourront nous conduire à une connaissance plus exacte de l'origine et de la pathogénie ; mais n'oublions pas que toutes ces recherches resteraient stériles si, depuis longtemps, nous n'étions pas fixés sur la véritable nature de la maladie. Cette notion capitale est l'œuvre des cliniciens et des anatomo-pathologistes de la première moitié de notre siècle ; quelles que soient d'ailleurs les lumières nouvelles que les recherches futures pourront fournir à l'étude de la fièvre typhoïde, ce travail de synthèse, qui substitua aux classifications si complexes et souvent si nuageuses des anciens pyrétologues une entité morbide distincte, anatomiquement caractérisée par la lésion des follicules isolés et agminés de l'intestin grêle, n'en restera pas moins l'une des plus importantes découvertes la médecine moderne, et l'une des gloires les plus incontestables de l'École française.

Paris. — Typographie FÉLIX MALTESTE et Cᵉ, rue des Deux-Portes-Saint-Sauveur, 22.